KB103762

지금 이걸 시라고 쓴 거야?

지금 이걸 시라고 쓴 거야?

발　행 | 2024년 06월 21일
저　자 | 워커 박
펴낸이 | 한건희
펴낸곳 | 주식회사 부크크
출판사등록 | 2014.07.15.(제2014-16호)
주　소 | 서울특별시 금천구 가산디지털1로 119 SK트윈타워 A동 305호
전　화 | 1670-8316
이메일 | info@bookk.co.kr

ISBN | 979-11-410-9069-2

www.bookk.co.kr

지금 이걸 시라고 쓴 거야?

워커 박 지음

차례

2부

3부

4부

머리말

첫 작품을 읽자마자 이렇게 외치시겠죠.
"지금 이걸 시라고 쓴 거야?"
네, 시라고 썼습니다.
두 번째 작품을 읽고는 이렇게 말씀하시겠죠.
"이렇게 재밌는 게 시라고?"
네, 시입니다.

두 가지만 약속할게요.
첫째, 유투브보다 재밌습니다.
둘째, (다 읽은 후) 시의 매력에 빠질 겁니다.
그러니 끝까지 한 번 읽어보세요.

저는 16년 차 현직 국어 교사입니다. 그 말인즉슨 16년째 시를 가르치고 있다는 겁니다. 좋아서요? 아니요, 먹고 살려구요. 고백하건대 도서관이나 서점에 가도 시집은 집어 들지 않습니다. 재미없거든요. 아주 가끔 시집을 집어 들어도 1분 후에 다시 내려놓습니다. 뭔 말인지 모르겠거든요. 저 역시 처음 보는 시는 낯설고 어렵거든요. 그때마다 이런 생각을 했습니다.
'좀 재밌는 시는 없나?'
'시인이 시를 직접 해설해 주면 안 되나?'

그래서 직접 썼습니다.
그리고 시 옆에 <해설 겸 시작 노트 겸 감상의 길잡이 겸 작가의 수다>인 글을 함께 실었습니다. 그 글을 읽으면 '이 작품은 이 말을 하고 싶었던 거구나' 하실 겁니다.
이 시집은 20대 후반부터 40대 초반까지 제가 직접 쓴 시 중에서 그나마 쓸만한 작품을 순서대로 모은 것입니다. 그러다 보니 20대의 열정, 30대의 패기, 40대의 성찰 등이 두루 녹아 있습니다. 지극히 평범한 한 남자의 사고와 정서가 나이를 먹으며 어떻게 변해가는지 살펴보는 것도 하나의 재미일 듯합니다.

인간은 사회적 동물입니다. 혼자만의 정서와 생각은 의미가 없죠. 그 정서와 생각은 공감과 소통이 일어나야 비로소 생명력을 얻습니다. 이 시집에 수록된 작품 중 과연 몇 개가 살아날까요? 살아있는 작품을 창작했다면 작가로서 더 바랄 게 없는데 말입니다.

부디 웃고 울고, 울다가 다시 웃어서 여러분의 그곳이 털로 무성해진다면 소원이 없겠습니다.

-눈이 시리도록 푸른 어느 날, 워커 박 올림.

1부

섀도복싱

벚꽃이 흩날린다
문득 떠오르는 말

떨어지는 벚꽃을
한 번에 열 개 잡으면
사랑이 이뤄진대

다시는 사랑 같은 거 하지 않겠다고
그런 말 믿지 않겠다면서

난 오늘도
벚꽃 나무 아래서

스텝 바이 스텝

★ 대학 시절, 같은 과에 친구 한 명이 있었는데 지적 능력이 만렙이었습니다. 그에겐 합리적, 논리적, 이성적, 분석적, 이런 수식어가 항상 붙어 있었죠. 겨드랑이에 책 한 권을 끼고 검지로 콧등 위 금테 안경을 슥 올리는 모습이 잘 어울리는 친구. 게다가 키도 크고 얼굴도 하얗고 이목구비도 또렷해서 여자 후배들에게 인기도 많았습니다. 한마디로 엄친아였습니다.

벚꽃이 흩날리는 날이었습니다. 벚꽃을 보며 어떤 친구가 말했죠. "떨어지는 벚꽃을 잡으면 사랑이 이뤄진대~", "아, 그래?" 다른 친구가 덧붙였습니다. "근데 열 개를 잡아야 한대~" 다들 "우와~ 진짜?" 하며 흩날리는 벚꽃을 잡기 위해 허공에 손그물을 던졌습니다. 몸을 계속 뒤집으며 팔랑팔랑 떨어지는 벚꽃잎은 생각보다 잡기가 힘들었습니다. 손을 뻗을 때 가해지는 바람에 의해 벚꽃은 휙휙 예상치 못한 방향으로 날아갔고 그걸 잡기 위해 더 빨리 손을 뻗으면 더 강해진 바람 때문에 꽃잎은 더 빨리 방향을 바꾸었습니다. 다 큰 청년 서너 명이 벚꽃을 잡겠다고 대로변에서 허우적거리고 있는 모습은 낭만과 병신 그 중간 어디쯤이었습니다.

그 모습을 지켜만 보던 엄친아가 말했습니다. "한심한 놈들, 그런 미신을 진짜 믿냐?" 그는 또 말했습니다. "대체 떨어지는 벚꽃이랑 사랑이 무슨 관련이 있냐? 잠깐 피었다 사라지는 벚꽃의 모습이 영원할 수 없는 사랑의 속성과 어울리다 보니 감정팔이용으로 생겨난 싸구려 미신일 뿐이라구. 그리고 사랑 같은 불완전한 감정에 왜 에너지를 낭비하냐? 사랑은 그저 호르몬 작용에 의해 잠깐 이성이 마비되는 시간일 뿐이야. 그럴 시간에 책이라도 한쪽 더 읽으며 지적 교양을 기르라구." 그때 다른 친구가 말했습니다. "예쓰! 나 벌써 2개나 잡았다!" "진짜? 우와, 부럽다~" 그 모습을 지켜보던 엄친아는 고개를 절레절레 흔들었습니다. 그리고 이번엔 중지로 콧등 위 안경테를 스윽 올렸습니다. "쯧쯧, 바보 같은 놈들…"

며칠 후 도서관 앞. 우리는 시험공부를 하다가 잠시 바람을 쐬고 있었습니다. 벚꽃은 봄의 마지막을 알리듯 더욱 애절하게 흩날리고 있었죠. 까만 밤과 대비되어 벚꽃은 더욱 하얘 보였습니다. 그때 한 친구가 말했습니다. "야, 저거 누구냐?"

친구가 가리키는 곳에 한 남자가 있었습니다. 그는 벚꽃나무 아래 서 있었는데 멀리서 봐도 훤칠했습니다. "근데 뭐 하는 거지?"

자세히 보니 그는 벚꽃 나무 아래서 연신 주먹을 뻗고 있었습니다. 마치 섀도복싱을 하는 듯했습니다. 복싱 선수가 혼자서 연습을 하고 있는 건가. 그는 쉴 새 없이 허공을 향해 주먹을 뻗고 있었습니다. 대회가 코앞으로 다가온 선수처럼 간절하게 죽기 살기로 섀도복싱을 하고 있었습니다. "야, 근데 저거… 엄친아 아냐?"

그랬습니다. 엄친아였습니다. 우리에게 가운뎃손가락을 날리며 바보 취급했던, 자기는 사랑 같은 거 하지 않겠다고 그런 말 믿지 않겠다던 그가 벚꽃 나무 아래서 꽃잎을 잡고 있었습니다.

섀도복싱 하듯 간절하게.

스텝 바이 스텝.

그에게 이 시를 바칩니다.

사랑은 복근이다

처음엔 선명했어
왕짜 (王)처럼 또렷했던 우리 마음

시간이 지나고
선비 사가 되더라 (士)

선비 같은 너의 모습
그래도 좋았지

그러다 어느 순간
석 삼이 되더라 (三)
넌 항상 세 번 물었어

밥 먹을까?
커피 마실까?
쉬었다 갈까?

그리곤 마침내
한 일이 되더라 (一)

우리 사이 남은
단 한마디,
안녕.

★ 복근 만들어 보셨나요? 저는 한때 복근을 소유한 남자였습니다. 임금 왕(王)자를 그려놓은 듯 배에 선명하게 드러나는 복근은 보기만 해도 엄청난 만족감을 줍니다. 마치 연애 처음 시작할 때 그 사람을 보기만 해도 행복해지는 것처럼요.

그런데 복근은 만들기도 어렵지만 유지하는 게 더 어렵습니다. 하루 세끼 항상 신경 써야 합니다. 식단에 탄수화물, 지방이 얼마나 포함되었는지 단백질은 부족하지 않은지 배가 나올 정도로 너무 많이 먹는 건 아닌지 등등. 당연히 운동도 매일 매일 해야 합니다. 이게 단순히 윗몸 일으키기만 한다고 되는 게 아닙니다. 몸의 근육은 모두 연결되어 있기 때문에 모든 근육을 단련해야 체지방이 쭉쭉 빠지고 복근도 선명하게 드러납니다. 휴식을 취하는 동안 근육이 붙기 때문에 잠도 잘 자야 합니다. 한마디로 온종일 복근 유지를 위해 신경 써야 합니다. 신경을 덜 쓰고 소홀해지는 순간, 복근은 조금씩 사라집니다. 왕짜(王)에서 선비 사(士)로, 다시 석 삼(三)으로, 마침내 한 일(一)만 남게 되죠.

다들 연애해 보셨죠? 사귀고 처음 데이트할 때 어떤가요? 일주일 전부터 데이트 코스를 계획합니다. 최대한 그녀(또는 그)가 만족할 수 있도록 모든 동선을 고려하며 마치 여행사 직원처럼 데이트를 계획하죠.

영화나 콘서트 같은 건 미리 예매해 놓고, 식당도 사전답사하여 미리 먹어봅니다. 당일 외모는 또 어떻습니까? 아침에 분명 머리 감았는데 데이트 나가기 전에 또 감고, 혹시 모를 기대감에 온몸 구석구석 샤워도 하죠. 머리에 왁스도 바르고 몸에 향수도 뿌리고 있는 옷 다 꺼내서 거울 앞에서 몇십 번을 대보고… 정말 온 정성을 다 쏟습니다.

하지만 그런 정성을 계속 쏟을 수 있을까요? 우리는 유한한 존재입니다. 쓸 수 있는 시간과 에너지가 한정되어 있죠. 그 한정된 시간과 에너지로 공부도 해야 하고 일도 해야 하고 밥도 먹어야 하고 똥도 싸야 합니다. 당연히 사랑에만 쏟을 순 없죠. 그래서 처음 사랑에 들였던 시간과 에너지는 조금씩 줄어듭니다. 다들 아시잖아요.

세상에 공짜는 없다는 말. 참 야속하면서도 정확한 말. 사랑에도 그대로 적용됩니다. 시간과 에너지가 줄어들면서 우리의 마음도 조금씩 변하죠. 같이 있어도 점점 말이 없어집니다. 마치 선비처럼요. 그러다 필요한 말들만 하게 됩니다. 밥 먹을까? 커피 마실까? 쉬었다 갈까? 이때쯤 우린 이미 알고 있습니다. 우리의 사랑이 마지막 한마디로 향하고 있다는 것을. '안녕'이라는 한 마디 말입니다.

사랑도 결국 복근과 같습니다. 유지하기 위해 노력

하지 않으면, 시간과 에너지를 쏟지 않으면, 결국 사라집니다. 선명한 복근을 위해 피나는 노력을 하듯, 뜨거운 사랑을 위해서도 열나게 노력해야 합니다. 그래야만 유지가 됩니다.

사랑도, 복근도.

가을

가을비처럼 슬픈 노래를
이 순간 부를까

쓸쓸한 낙엽과 바람
시월의 이별 노래

말들은 살찌고
내 맘은 커지는데

하늘은 높아지고
너는 멀어지구나

황금물결이 넘실거리는
풍성한 가을 하늘 아래

내가 거둔 건
내가 거둬들인 건

안녕이라는
너의 한마디뿐.

★ 이번 시는 사실 해설이고 자시고도 없습니다. 가을에 이별한 남자가 우연히 김종서의 '겨울비' 노래를 들었는데 '겨울비처럼 슬픈 노래를 이 순간 부를까, 우울한 하늘과 구름 일월의 이별 노래~'라는 가사에 꽂혀서 그 부분을 가을에 맞게 변형한 후, 몇 가지 가을 이미지를 좀 더 곁들여서 시로 만든 것입니다. 이런 말 하기 뭐하지만 정말 허접하죠? 그렇습니다. 20대 혈기 왕성할 때, 한창 사랑의 감성에 취한 상태에서 끄적인 시입니다.

시가 뭘까요? 시적 화자, 운율, 이미지, 표현법 등등. 국어 시간에 배웠던 것들이 떠오르시나요? 네, 우리는 정말 재미없게 시를 접했죠. 다 집어치우고, 시는 그냥 넘쳐흐르는 감정을 표현한 겁니다. 버스정류장에서 정말 예쁜 여자를 보았다고 칩시다. 아름다운 대상을 볼 때 우리는 감동을 느낍니다. (그걸 미적 체험이라 하고 그것을 인식하는 정신을 '미의식'이라고도 하는데 문학 시간이 아니니 그만둡시다.) 그 감동을 막 누군가에게 전하고 싶고 표현하고 싶죠? 친구에게 "야, 나 오늘 버스정류장에서 '존예'봤어, '존예'!!" 그 벅찬 감정을 글로 남기고 싶어서 혼자 일기장에 끄적일 때도 있죠. '오늘 버스정류장에서 정말 예쁜 여자를 만나서 가슴이 터질 거 같았다.' 요걸 좀 더 생생하게 표현하고 싶을 때가 있어요. '그녀와의 만남은 교통사고였다.' 뭐 이런 식으로. 그게 바로 문학적 표현이고 시의 시작입니다. 그러니까 시는 특별한 것도, 문학인들의 전유물도 아닙니다. 누구나 시를 쓰고 향유할 수 있습니다. 누구나 감정을 가지고 있고, 그것을 표현하고자 하는 욕구가 있으니까요.

한때 티브이에서 '야, 너두 할 수 있어'라는 광고가 유행이었습니다. 영어회화 학습 사이트를 홍보하는 광고였는데요. 영어 회화는 누구나 할 수 있다는 의미를 한 문장으로 압축한 부분이 인상적이었습니다. 그 말을 저도 인용하고 싶네요.

'야, 너두 쓸 수 있어.'

씨다바리

그녀에게 난
씨다바리가 되고 싶다

힘들면 언제나 기댈 수 있는
씨다바리가 되고 싶다

그녀의 사랑을 못 얻어도 좋다
아니, 차라리 얻지 못했으면 좋겠다

사랑은 부싯돌과 같은 것
반짝이는 순간
이미 그것은 사그라진다

그녀의 사랑을 얻어,
우리가 연인이 되어도
언젠가 우리는 헤어지기 때문이다

그녀에게 버림받는 건
삶의 의미가 사라지는 것이다

그녀에게 버림받고 싶지 않다

그녀의 일회용이 되고 싶지 않다

쓰다버린.. 보다는
씨다바리가 낫다

그녀가 이렇게 물었으면 좋겠다
니가 내 씨다바리가?

씨다바리 아이가!
그렇게... 말하고 싶다.

★ 2001년 개봉한 영화 <친구> 기억나세요? 많은 명대사가 있지만 그중에서도 전 이 말이 가장 기억에 남습니다. 유오성이 장동건을 부하 부리듯 하니까 장동건이 눈을 부라리며 유오성에게 한 말. "내가 니 씨다바리가?"

당시 21살이었던 저는 진정한 사랑이 무엇인지 고민했습니다. 왜 모든 남녀는 영원한 사랑을 약속하다 결국엔 헤어지는가. 부싯돌처럼 반짝하고 끝나는 사랑. 탱탱한 엉덩이와 넓은 어깨만 탐닉하다가 에로스적 매력이 사라지면 이내 남이 되어 버리는 관계. 이게 과연 사랑인가? 이건 그저 '성욕'의 다른 이름이 아닌가.

모든 경전은 말합니다. 진정한 사랑은 '나'가 아닌 '상대방'을 먼저 생각하는 것이라고. '나'를 채우는 게 아니라 '상대방'을 채워주는 거라고. 불경도 그렇고 성경도 그렇습니다. 상대방의 행복을 우선적으로 생각하며 아무런 대가를 바라지 않아야 하고 심지어 이별 통보를 받았어도 부디 다른 사람 만나 행복하기를 바라는 것.

그러니까 한마디로 '씨다바리'로 살라는 것.

이 시는 그렇게 진정한 사랑과 '씨다바리'의 만남 속에서 탄생하였습니다.

껄떡쇠

오늘도 마님의 치맛자락
서걱이는 소리에
껄떡쇠의 마음은 꿈틀댄다

마님의 붉은 치맛자락.
껄떡쇠는 어느새
성난 투우가 되어 있다

껄떡쇠야~
마님이 부른다
예, 마님~
떡쇠는 혹시나 하고 달려간다

장작 패거라~
마님의 명령
예, 마님…
떡쇠는 역시나 하며 물러간다

영화 속 이야기는 거짓말이다
마님은 껄떡쇠를
남자로 보지 않는다

마님에 대한 마음을 모아
오늘도 껄떡쇠는
장작을 팬다

★ 껄떡쇠와 마님의 뜨거운 사랑. 예전 80년대 삼류 에로영화에 가끔 나오는 설정이었죠. 떡쇠가 웃통을 벗고 장작을 패고 있습니다. 지렁이가 기어다니는 듯 온몸에 힘줄이 울끈불끈한 떡쇠. 마님은 기둥 뒤에서 몰래 훔쳐봅니다. 으라차, 쿵! 쿵! 장작을 쪼갤수록 마님의 마음도 열립니다. 이윽고 마님이 떡쇠를 부르죠. "떡쇠야~ 잠깐 내 방으로 오거라" "예, 마님" 그리고 그들은... 덩기덕 쿵 더러러러 쿵기덕 쿵 떡!

사람들은 항상 일탈을 꿈꿉니다. 촘촘히 짜인 일상의 그물에 우리의 욕구는 늘 갇혀 있죠. 가끔 그 그물을 발기발기 찢고 우리의 욕구를 야생 그대로 풀어놓고 싶어합니다. 하지만 모두가 자신의 욕구를 풀어놓으면 사회는 유지될 수 없겠죠. 그래서 그 마음을 달래기 위해 나온 것이 영화산업입니다. 영화는 우리의 욕구가 반영된 삶을 보여주고, 우리는 그것을 보며 대리만족하죠. 영화산업에서 특히나 성적 판타지에 집중한 게 바로 에로영화입니다. 일상에선 쉽게 접할 수 없는 금단의 영역. 영화가 그 부분을 적나라하게 보여 주면, 우리는 돈을 지불한 후 어두운 곳에서 훔쳐보며 우리의 욕구를 달랩니다.

영화가 아니라 실제로 마님이 껄떡쇠와 덩기덕 쿵 더러러러 쿵기덕 쿵 떡을 하면 어떻게 될까요? 조선

시대는 계급사회였습니다. 떡쇠 입장에서 마님은 주인님의 여자입니다. 주인님 입장에서 감히 내 여자를 건드린 종놈을 가만히 둘까요? 죽이거나 반병신으로 만들거나, 아니면 자르겠죠. (뭘 자를지는 다 아시죠?) 마님이라고 무사할까요? 조선시대는 여성들의 성적 분방함을 절대 용납하지 않던 시대였습니다. 특히나 양반 부녀자들은 서민들보다 더욱 엄격한 도덕성이 요구되었죠. 그런 시대에 같은 계층의 남자도 아니고 다른 계층의 남자와 사랑을? 마님이 떡쇠와 사랑을 나누는 것은 그 시대의 모든 유교적 질서를 송두리째 뒤엎어 버리는 행위입니다. 자칫하면 죽을 수도 있고, 반병신이 될 수도 있고, 노비로 전락할 수도 있습니다. 그런 상황에서 마님이 떡쇠를?

영화는 영화일 뿐입니다. 이번 작품은 그걸 시로 좀 표현해 보고 싶었습니다.

아내와 선풍기

짝짝 짝짝 짝
아내와 또 싸웠다

쾅쾅 쾅쾅 쾅
방문을 거세게 닫았다
손바닥 자국이 남아있는
볼을 베개에 부비며
잠이 들었다
그러다 더워서 선풍기를 켰다

얼마나 잤을까?
한참을 자고 일어나 보니
방문이 살짝,
아주 사알짝 열려 있었다

아내는 내가 죽을까 봐
겁이 났나 보다

오늘 저녁엔,
장어를 먹어야겠다

★ '부부클리닉 사랑과 전쟁'이라는 드라마 아시나요? 부부들의 모든 문제와 실제 사연을 재구성해 드라마 형식으로 보여주었죠. 부부들이 빚어내는 온갖 갈등을 보고 있자면 '대체 왜 결혼하지?'라는 생각이 절로 듭니다. 사랑하기 위해 결혼하는 건지, 싸우기 위해 결혼하는 건지. '사랑과 전쟁'. 정말 네이밍 기가 막힙니다.

'짝짝 짝짝 짝' 싸대기를 거세게 주고받고, '쾅쾅 쾅 쾅 쾅' 문을 거세게 닫는 거 보니 정말 크게 싸운 거 같죠? 시적 화자는 아내의 손바닥 자국이 남아있는 볼을 베개에 비비며 잠을 청합니다. 그런데 좀 전에 한바탕 크게 했으니 열불이 나겠죠. 선풍기를 켜고 잡니다.

문 닫고 선풍기 켜고 자면 죽는다는 말 들어보셨죠? 저도 한 때 이 말을 믿어서 선풍기 켤 때면 방문을 살짝 열어두던 기억이 납니다. 그런데 이건 사실이 아니라고 하네요. 실제로 2013년 한 방송사에서 선풍기를 틀고 얼굴 주변 공기 압력 변화를 간접적으로 측정하는 실험을 진행했는데, 선풍기 틀기 전과 후 수치 변화가 거의 없었다고 합니다. 또 방문과 창문을 닫는다고 해도 산소가 완벽히 차단되지 않아, 방 내 산소 농도도 떨어지지 않는다고 하네요. 카이스트 임춘택 교수가 창문과 문을 닫은 방안에서 선풍기를 틀어 바람을 맞으며 혈압, 맥박수, 체온 등 생체 지표를 확인하는 실험을 하기도 했는데, 2시간 경과에도 모든 지표가 거의 변하지 않은 것으로 확인됐다고 합니다. 그러니 이제 맘껏 선풍기 켜고 잡시다.(갑자기 웬 TMI??)

암튼 중요한 건 시에 등장하는 아내는 이 사실을 몰랐나 봅니다. 비록 홧김에 싸대기를 날렸지만 그래도 남편이 걱정돼 방문을 열어 놓네요. 죽지 않을 정도로 아주 사알짝.

그걸 확인한 남편은 그래도 자기를 걱정해 주는 건 아내밖에 없다는 생각이 들었나 봅니다. 그래서 결심합니다. '오늘 저녁엔 장어를 먹어야지!'

낮에는 싸대기를 날리다가도
밤에는 장어의 꿈틀거림을 확인하는 사이.

그게 바로 부부 아닐까요.

비둘기

어느 날 일어나 보니,
난 비둘기가 되어 있었다

잊자, 잊자
잊자, 잊자
아무리 고개를
앞뒤로 끄덕여도,

잊자..
잊자자...
잊자자자....
잊자자자자.....
아무리 날개를
세차게 털어 보아도,

날 수가 없다
떠날 수가 없다
떨치고 일어날 수가 없다
너에게서.

너의 사랑을 잔뜩 먹은
난,
어느새 닭둘기가 되어 버렸네.

★ 비둘기 관찰하신 적 있나요?
비둘기는 땅바닥에서 걸을 땐 쉼 없이 고개를 앞뒤로 끄덕입니다. 마치 어떤 생각을 곱씹듯 말이죠. 그러다 어느 순간 푸다다닥 날개를 세차게 털며 날아오릅니다. 마치 어떤 생각을 끝내고 결심을 한 듯.
그 모습이 마치 정인(情人)을 잊기 위해 애쓰는 사람의 모습처럼 보였습니다. 누군가에 대한 마음을 접어야 할 때를 생각해 보세요. 골똘히 생각에 잠기죠. '그래, 이 사람과는 맞지 않아. 마음을 접자.', '그래, 이 사람과는 미래가 없어. 마음을 접자.' 비둘기처럼 끝없이 고개를 주억거리며 생각을 정리합니다. 이윽고 결심을 합니다. '그래, 잊자! 잊자!! 잊자!!!' 세차게 마음을 털어냅니다. 날기 위해 퍼덕이는 비둘기처럼. 하지만 마음이 어디 그리 내 맘대로 되던가요? 그랬다면 로미오와 줄리엣도, 춘향이와 이몽룡도 없었겠죠.

아무리 고개를 흔들어도
아무리 마음을 세차게 털어도
잊히지가 않아.
그래서 난 결심했어.
너의 닭둘기가 되기로.

그런 사람 다들 있으시죠?
이 시는 그 사람을 떠올리며 감상하시면 됩니다.

내 친구 존

내 친구 존
그는 항상 어디론가 가고 있다

존,
난 왜 이리 잘 생겼을까?
여자들이 날 놔두질 않아
말없이 떠나는 존
존가고 있네

존,
그녀는 너무 아름다워
천사가 있다면 그녀일 거야
어디론가 떠나는 존
존가고 있네

존,
영원한 사랑을 믿어
그녀를 영원히 사랑할 거야
뒤돌아서는 존
존가고 있네

존,
그녀가 떠나 가슴이 너무 아파
이러다 죽으면 어쩌지
말없이 떠나려는 존
안돼, 이번만큼은 내 곁에 있어줘
존가지 마.
존가지 마.

사랑을 노래할 때마다
말없이 떠나는 존
그는 오늘도 어디론가 가고 있다
존가고 있네

★ (감상의 길잡이1 - 20대에 쓴 글)

사회에 대한 통렬한 풍자가 돋보이는 시. 특히 요즘 시대 인스턴트 사랑놀음에 강렬한 카운터 한 방을 날렸다.

이 시의 화자는 전형적인 요즘 시대 젊은이다. 자아도취에 빠져 있고 쉽게 사랑하고 절망하는, 진정한 사랑에 대한 깨달음이 없는 인물이다. 그는 항상 절친한 친구 '존'에게 그의 고민과 사랑에 대해 털어놓는다. 하지만 말 없는 친구 '존'은 화자의 얘기를 듣고는 늘 어디론가 떠난다.

여기에 바로 시인이 사회를 향해 날리는 강렬한 카운터가 존재한다. 쉽게 만나고 헤어지는, 죽을 듯 슬퍼하다 또 금방 잊는 인스턴트 사랑에 따끔한 일침을 놓는 것이다. 일침은 보이지 않는다. 단지 어디론가 항상 가는 '존'을 통해 형상화될 뿐이다. 독자들은 '갑자기 존은 어딜 가는 거야?'라고 처음엔 방심한다. 허나 반복되는 '존가고 있네'에 점점 싸늘함을 느낀다. 싸늘함은 비수처럼 예리해지며, 결국 5연 '존가지마'에서 독자들은 '으윽.. 이 시는 풍자였어..'하고 가슴을 부여잡는 것이다. 시인은 마지막 연에서 한 번 더 '존가고 있네'를 반복하며 일침에 마침표를 찍는다. 자칫 잘못하면 '시인가, 욕설인가'의 논란을 불러일으킬지도 모르는 위험한 줄타기를 시인은 거침없이 즐기고 있다.

(감상의 길잡이2 - 40대에 쓴 글)

어릴 때를 떠올려 봅시다. 내가 멋있고 예쁘다고 생각하던 때가 있었죠. 원빈, 김태희보단 떨어지지만 그래도 상위 10%에 든다고 생각하던 때. 내가 세상의 주인공이고 세상이 나를 중심으로 돌아간다고 생각하던 그때.

누군가를 처음으로 좋아하던 때를 떠올려 봅시다. 세상에 이렇게 예쁜 사람이 있을까 싶죠. 외모, 성격 뭐 하나 빠지는 게 없는 완벽한 사람. 그녀(혹은 그)는 내 머릿속에서 모든 필터링을 거쳐 마침내 천사(혹은 왕자님)로 거듭납니다.

처음으로 사귈 때는 또 어땠나요. 세상에 단 하나의 영원한 사랑이 있다면 그게 바로 자신의 사랑이라고 생각했죠. '천년에 한 번 우는 새가 있는데 그 새의 눈물이 모여 바다를 이룰 때까지 널 사랑할게' 이런 밀어를 아무렇지도 않게 주고받던 그때.

첫 이별은 또 어떻구요. 총 맞은 것처럼 가슴이 너무 아프다며 종일 노래방에서 울며 노래 부르질 않나, 위에 구멍이 날 때까지 술을 퍼먹질 않나, 세상 다 산 사람처럼 모든 똥이란 똥은 다 씹어먹은 듯한 얼굴로 슬픔에 잠겼던 그때.

그 모든 시절을 보낸 나와 당신. 영원한 사랑을 믿지 않는, 아저씨 아줌마가 되어 버린 나와 당신. 우린 어느새 '존'이 되었네요. 자, 함께 갈까요?
영원한 사랑? 존가고 있네!

그래도 그때가 그립습니다.

2부

사랑은 대머리다

처음엔 풍성했어
볼펜을 꽂아도 될 거 같던...
추억카락 한 올씩 빠질 때마다
우리의 사랑도 하늘하늘

시간이 지나며 어느새 우린 골룸
마이 프레셔스 마이 프레셔스!

시간이 지나며 어느새 우린 전두광
실패하면 반역이고 성공하면 혁명이야!

어느새 추억 한 올 남지 않은
대머리가 되었구나

★ 인간은 유한한 존재죠. 언젠가는 반드시 사라집니다. 필멸(必滅)의 존재. 그래서 우리는 늘 불멸(不滅)을 꿈꿉니다.

불멸을 꿈꾸지만 그건 꿈일 뿐. 결코 영원히 존재할 수 없다는 사실에 절망한 인간은 결국 도피처를 찾게 됩니다. 바로 '사랑'입니다.

왜 이리 인간은 '영원한 사랑'에 집착하는 걸까요. 필멸의 존재인 인간이 하는 모든 행위는 영원할 수가 없습니다. 사랑 역시 마찬가지죠. 아무리 뜨겁고 열렬하게 사랑을 해도 시간이 지나면 변합니다. 과학자들은 도파민, 옥시토닌, 세라토닌 등의 호르몬 등을 들이대면서 사랑의 유효기간은 18개월~30개월이라고 합니다. 최대 30개월이 지나면 더 이상 사랑 호르몬이 안 나오기 때문에 사랑의 감정에서 깨어난다는 것이죠.

그래서일까요. 사람들은 연애할 때 사진을 참 많이 찍습니다. 모든 순간을 사진으로 붙잡아두려 합니다. 적어도 사진 속 그 모습만은 '순간'이 아니라 '영원'으로 남는 거 같으니까요. 사진과 함께 둘만의 추억을 계속 만들죠. 그리고 그 추억만큼은 영원하길 바랍니다.

추억은 영원할까요? 아니요. 어떻게든 사랑의 멸(滅)을 추억의 힘으로 막아보려 하지만, 추억 역시 하나씩 빠져나갑니다. 마치 탈모환자의 머리카락처럼요.

빠지고 빠져서 마침내 추억카락 한 올 없을 때, 비로소 삭발한 승려처럼 깨닫습니다. '아, 세상에 영원한 것은 없구나.'

사랑은
대머리입니다.

올드 보이

인생이 풍선이라면
바늘로 그 똥구녕을 찔러다오
목동의 피리처럼 피이익하고
노래할 테니

죽지 않아 죽지 않아
바람이 다 빠질 때까지
나는 죽지 않아

더 이상 바람이 나오지 않을 때
늙은 고무 가죽을 벗고
비로소
날아오르리라

인생이 풍선이라면
결코 옆구리를 찌르지 마오

빵하고 터지면 그뿐,
인생은 결코 한방이 아니네

★ 어떻게 살고 싶으세요?

'인생은 한 방이야!'라며 잭팟이 터지는 삶을 바라시나요? 아니면 목동의 피리 소리처럼 가늘고 긴 삶을 바라시나요?

어떻게 살든 각자의 자유입니다만, 저는 그저 가늘고 길게 살고 싶습니다. 왜냐면 '한 방'을 노리는 사람치고 잘 된 사람을 본 적이 없거든요.

그들은 늘 '한 방'을 노립니다. 이번만 터지면, 이번만 터지면 하고 늘 인생 역전을 꿈꿉니다. 그러다 결국,

빵! 한 방에 나가떨어집니다.

혹시 '복권의 저주'라는 말 들어보셨나요? 복권 당첨자들이 당첨 후 대부분 불행하게 살아서 나온 말입니다. 당첨자들은 세상 모든 걸 얻은 듯 기뻐하지만 그들의 예후는 하나같이 안 좋습니다. 화재, 교통사고, 약물중독, 이혼, 사망 등등. 왜 그리 하나같이 불행해질까요?

마흔 넘으며 알게 된 인생의 진리 중 하나는 세상에 공짜는 없다는 겁니다. 인간사 모든 일은 결국 대가를 치러야 하죠. 노벨 경제학상을 받은 프리드먼도 말했습니다. '세상에 공짜 점심은 없다'라고. 그런데 복권 당첨자들은 어떻습니까. 평생 일해도 얻지 못하는 돈을 공짜로 얻었잖아요. 어마어마한 '복'을 거저 얻은 겁니다. 그러니 당연히 그에 대한 대가를 지불해야겠죠. 그래서 결국 그만큼의 '화'가 찾아오는 거 아닐까요.

올드보이가 만두 맛만으로 중국집을 찾아낸 것은 15년 동안 만두만 먹었기 때문입니다. 15년이라는 시간을 지불하였기에 만두 감별 명인이 된 겁니다. 네, 세상에 공짜는 없습니다.

어차피 공짜가 없다면, 그 비용을 조금씩 지불하고 싶습니다. 제가 감당할 수 있는 선에서 꾸준히 지불하며 살고 싶습니다. 일시불 말고 할부로 아주 오래. 한마디로 가늘고 길게 사는 삶이죠.

여러분은 어떻게 살고 싶으세요?

난 알아요

난 알아요
그대의 등엔 털이 수북함을

살랑이는 미소와 금실 같은 머릿결은
탐스러워요
슈크림 같은 그대 눈빛을 보면
온몸이 사르르 녹아내리지요

먹구름도
그대 앞에선 하얘질 거에요

하지만 난 알아요
그대 등엔 털이 풍성함을

참빗으로 빗으면
새카만 서캐가 후두둑 떨어질

질고굵고검은 털이 자라고 있음을
나는 알아요

★ 종종 이런 기사를 접합니다.

'80살 억만장자, 30살 아가씨와 결혼하다.' 그녀는 왜 할아버지와 결혼할까요? 그의 중후함이 좋아서? 원래 늙고 쭈글쭈글한 걸 좋아해서? 그녀는 아마 생각했을 겁니다. '그래, 눈 딱 감고 3년 정도만 참자.' 그녀의 등엔 짙고 굵고 검은 털이 풍성하겠죠.

이게 특별한 경우라구요? 아니요. 등에 털이 난 사람들은 쉽게 찾을 수 있습니다. 당장 근처 백화점이나 옷 가게에 가 보세요. 점원들은 '사랑합니다 고객님' 하며 슈크림 같은 미소로 우릴 맞이하죠. 하지만 옷을 사지 않고 한 시간 동안 만지작거려 보세요. 점원은 등에 난 털을 휘날리며 우리에게 귓속말을 할 겁니다. '안 살 거면 꺼져.'

비지니스 관계니까 그렇지, 친한 지인들은 안 그렇다구요? 아니라니까요. 우리 모두는 등에 털이 난 사람들입니다. 친하다고 생각하는 사람에게 천만 원만 달라고 해 보세요. 과연 몇 명이나 남을까요? 기적같이 한 명 남았다고 칩시다. 한 번 더 달라고 해 보세요. 과연 한 번 더 줄까요? 연암 박지원 선생님은 말했죠. '세 번 달라고 해서 멀어지지 않을 사람 없고, 세 번 주어서 친해지지 않은 사람은 없다.'

짙고 굵고 검은 털을 등 뒤에 숨기고
오늘도 살랑이는 미소를 서로에게 건네는 우리들.
네, 속세에 사는 우리는 어쩔 수 없는 속물입니다.

머릿내

너를 보면 바늘이 생각나
찔러도 피 한 방울이나 날까

너를 보면 먼지떨이가 생각나
털어도 먼지 하나 나올까

너를 보면 이태리 때타월이 생각나
밀어도 각질 하나 나올까

그러던 어느 날
눈 내리던 날
너의 집에 급작스레 방문했던 날

너의 머리에서,
너의 머리에서 말이야

갓 볶은 원두향 같은
금방 구운 군밤 같은
방금 짜낸 참기름 같은

고소한 내음이 났어
너의 머리에서

노릇한 니릇한 너의 머릿내가
좋나?
좋네!

★ 사랑하는 사람 앞에서 우리는 많은 것을 감추죠. 가령 방귀가 나와도 틀어막고 트림이 나와도 다시 삼킵니다. 만나기 전엔 또 얼마나 신경을 쓰나요. 머리를 감고 샤워를 하고 새 옷을 꺼내 입고 향수를 뿌리고 코털을 제거하고 겨털을 다듬습니다. 예쁘고 완벽한 모습만 보여주고 싶으니까요.

하지만 둘 다 사랑에 풍덩 빠진 후면 그럴 필요도 없습니다. 시각, 청각, 후각 등 모든 감각에 왜곡이 생기니까요. 우리는 눈부신 님의 얼굴에 눈이 멀고 향기로운 님의 말소리에 귀가 멉니다. 심지어 기습방문을 한 날, 머리를 안 감아서 떡진 상대방 머리에 코를 대고 킁킁거리며 '너한텐 좋은 내가 나. 참 좋네'라며 사랑을 속삭입니다.

혹시 지금 옆에 사랑하는 사람이 있나요? 그럼 정수리에 코를 가만히 대고 말해보세요.
"음… 좋네. 좋아.(존내 좋아)"라구요.

현무암의 기억

언제부턴가
바람이 내 가슴을 통과하기 시작했다

가슴에 귀를 대면
문풍지 떨리는 소리가
들리기 시작했다

눈을 감고 바람을 탔다
바람을 타고
가슴이 가리키는 곳으로 갔다

눈을 떠보니 제주도였다

그곳은
내 가슴을 통과하던 바람과
내 가슴이 그리던 여인과
내 가슴이 있었다
화석처럼 박혀 있었다

현무, 자네도 그렇게 외로웠는가
암, 그렇고 말고

현무, 자네도 그렇게 시리었는가
암, 그렇구 말구

★ 현무암을 처음 봤을 땐, 못생긴 돌이라고 생각했습니다. 별생각이 없었죠.

사랑을 경험하고 다시 봤을 때,
사람의 가슴과 닮았다고 생각했습니다.

(똥차야) 내 머릿속 비우게

똥차야 어디가
이리와 이리와

니가 있어야 할 곳은
여기야 이리와

이곳에 있으면
한 통 꽉꽉 채운단다

거뭇한 고무호스
내 머리에 꽂아주련

내 귀에 양쪽 귀에
하나씩 꽂아주련

니 귀엔 도청장치 있니?
내 귀엔 고무호스 있다

만물이 탄생하고 천지가 개벽하던
그때처럼

칠일 밤낮을 쉬지 말고
쭉쭉 뽑아다오
쫙쫙 뽑아다오

내 머릿속 가득한
이 똥덩이를.

★ 정우성, 손예진 주연의 '내 머리 속의 지우개'라는 영화가 있었습니다. 때는 2004년, 사랑의 열병에 한창 신음하던 한 청년은 영화 속 대사에 취합니다. '이거 마시면 나랑 사귀는 거다.' 영화 속 그들처럼 자신도 언젠가 애절한 사랑을 하겠다며 한동안 술자리에서 기회만 있으면 여성들에게 술을 따르며 말했습니다. '이거 마시면 나랑 사귀는 거다.'

어느 날, 청년이 따른 술잔을 비우는 여자가 나타났습니다. 둘은 영화 속 주인공들처럼 사랑에 빠졌습니다. 둘 다 건강했고 머릿속 뇌도 튼튼했지만, 영화 속 주인공처럼 될지도 모른다는 생각에 머릿속을 꽉꽉 채웠습니다. 둘만의 추억으로 꽉꽉 채웠습니다.

영화 속 그들은 기억이 하나씩 지워질 때마다 사랑도 점점 애절해지며 결국 서로의 가슴 속에 남는 단 하나의 사랑이 되었지만, 현실은 달랐습니다. 청년은 결국 그녀와 이별하게 되었습니다. 그때부터였습니다. 머릿속 그녀와의 기억이 청년을 괴롭히기 시작한 건.

밥을 먹어도(아, 이거 우리가 자주 먹던 건데...), 영화를 봐도(아, 이거 우리 이야기네...), 노래를 들어도(아, 이거 우리 감정이잖아...) 그녀와의 추억은 마치 자가 증식하는 세포처럼 계속 복제되어 갔습니다. 머릿속 모든 뇌세포가 '추억 회상' 말고는 아무 기능이 없는 똥처럼 변해갔습니다. 급기야 청년은 외칩니다. "누가 내 머릿속 지우게! 아니 그 정도로는 안 되겠다. 똥차야, 내 머릿속 비우게!!"

이 시는 그렇게 쓰였습니다.

쉬즈 곤

정류장에서 한 꼬마가 쉬를 한다
무지 급했던 모양이다
아이 엄마는 화들짝 놀라며 아이 엉덩이를 때린다
'이러지 말했지! 아저씨한테 혼난다'
옆에 남자는 그저 빙싯 웃을 뿐이다
'괜찮아 꼬마야 아저씬 그녀를 기다리고 있단다'
줄어들던 오줌발은 다시 힘을 얻고
노란 미끄럼틀 만든다
쉬... 이즌 쉬 러블리?

아이 엄만 볼때기를 더욱 세차게 찰싹 찰싹.
'끊지 못해? 아저씨가 이놈 한다'
옆에 사내는 벙싯 웃을 뿐
'꼬마야 괜찮아 그녀가 여기로 오고 있으니까'
분기탱천한 장비의 수염발처럼
오줌발은 다시 성을 낸다
쉬익... 이즌 쉬 러블리?

아이의 볼때기가 부르르 떨리고
오줌 줄기가 방울로 바뀌는 순간
사내는 핸드폰을 떨어뜨렸다

아이가 쉬를 끝내고 고추를 집어넣자
사내는 눈물을 흘리기 시작했다

쉬 이즈 곤,
쉬가 끝났다.
쉬즈 곤,
그녀가 떠났다.

★ (시인의 시작 노트)

아이가 바지를 내리고 쉬를 한다. 거침없다. 자기가 하고 싶은 일을 그냥 맘대로 하는 아이. 그 아이가 싸는 쉬는 예쁘지 않은가. 이즌 쉬(오줌) 러블리?

사내는 그녀를 사랑했다. 그녀만 보면 기분이 좋아지고, 그녀만 보면 행복했다. 그녀는 정말 사랑스러웠다. 이즌 쉬(그녀) 러블리?

아이는 쉬를 다 쌌다. 쉬가 끝났다. 쉬 이즈 곤. 시원하다. 행복하다.

그녀가 떠났다. 쉬즈 곤. 사내의 가슴은 쉬(그녀)로 채워지기 시작한다. 그녀가 너무 마렵다. 슬프다.

오줌, 눈물, 기쁨, 슬픔을 모두 모아서 '쉬'의 중의적 의미를 중심으로 유명한 팝송(이즌 쉬 러블리, 쉬즈 곤)과 융합하여 대중성과 문학성을 모두 잡는 시를 한 번 써 보자!

-----> 이렇게 탄생한 시입니다. 좀 더 부연 설명하자면, 사내의 사랑을 아이의 쉬 싸는 모습과 결합한 이유는 사랑의 순수성을 극한으로 끌어올리기 위함입니다. 인간은 어릴 때가 가장 순수하고, 인간의

행위 중 배설할 때가 가장 본능에 충실한 순간이니까요. 그래서 아이의 쉬는 '순수함의 결정체'라고 생각했습니다.

사실 진지한 척한 거고, 그냥 재밌게 감상하시면 됩니다. 이런 언어유희, 지적 유희도 문학의 매력이니까요. 문학을, 시를 너무 경전 대하듯 하지 마세요.^^

벚꽃나무와 벚꽃놀이

넌 참 간지러웠을 거다
너의 밑에선 연인들의 속삭이는 밀어
'자기야 응? 응?'

하늘은 뽀얗게 번져가고
넌 분홍빛 물들고
'자기야 응? 나랑 응?'

멀리서 사향노루 싼 똥
은은히 식어갈 때
'나랑 응? 오늘밤 응? 응?'

부르르 떨리는 네 몸
향긋한 바람 너를 한번 핥고 가면

봄,
벗고 놀다.

★ 다들 연애할 때 벚꽃놀이 가 보셨죠. 벚꽃 나무 아래서 연인들은 사랑을 속삭이죠. 특히 아직 진도를 끝까지 빼지 못한 커플이라면, 남자가 굉장히 애를 쓰고 있을 겁니다. 어떻게든 정동진에 데려가려고 말이죠. (해볼라고. 어떻게 함 해볼라고.)

플라토닉이니 에로스니 하면서 사랑을 둘로 나누기도 하지만, 결국 이성 간의 사랑은 성(性)을 빼놓을 수 없죠. 남녀 사랑의 본질은 성(性)입니다. 이유도 없이 누군가가 끌린다? 그 사람과 하고 싶다는 겁니다. 왜 하고 싶나? 섹스를 해야 자녀를 낳을 수 있으니까요. 살아있는 모든 존재는 번식이 본능이죠. 현재로선 그것만이 필멸(必滅)에 대항하는 유일한 방법입니다. 인간도 예외는 아닌지라, 하나뿐인 그 방법을 본능적으로 추구합니다. 나의 분신인 자녀를 낳아서 불멸(不滅)을 이어가는 것.

그래서 오늘도 남과 여는 벚꽃놀이를 가는 겁니다. 결국 벗고 놀기 위해. 불멸의 존재가 되기 위해.

그리움의 두 얼굴

약수터에 가면
항상 등치는 아저씨를 볼 수 있다
허이 허이

간혹
배치는 아저씨도 볼 수 있다
하아 하아

등치는 아저씨는 아직 마누라가 있는 분이다
하지만 사이는 좋지 않다
매일 밤 등 돌리고 잔다
허이 허이

근데 배치는 아저씨는 마누라가 없다
먼저 이 세상 떴거나 멀리 있거나
어쨌든 지금은 혼자다
하아 하아

등치는 나무는
밋밋하고 단단하다
꼭 사람 등 같다
허이 허이

배치는 나무는
물렁하고 몰캉하다
꼭 사람 배 같다
하아 하아

생명의 정수를 길어 올리는 약수터엔
항상 두 가지 소리가 공명한다
허이 허이
하아 하아

★ '세상에서 가장 긴 행복 탐구보고서'라는 책에 행복에 관해 인터뷰하는 노부부가 나옵니다. '가장 두려운 게 무엇인가'라는 질문에 남편이 머뭇거리다 이렇게 말합니다. "내가 먼저 죽지 않을까 봐 두려워요. 당신도 없는 이곳에 내가 혼자 남게 될까 봐."

이 책의 내용을 단 한 문장으로 요약하면 이렇습니다. "좋은 관계는 우리를 더 건강하고 행복하게 해준다." 네, 행복에서 가장 중요한 건 관계라는 거죠.

가족, 친구, 선후배, 동료 등등. 우리는 수많은 인간관계를 맺으며 살아갑니다. 그중 가장 핵심이 되는 인간이 누굴까요? 검은 머리 파뿌리 될 때까지 함께 있자고 약속한 사람. 자식이라는 핏줄에 함께 묶여있는 존재. 바로 배우자 아닐까요? 별일 없는 한 죽을 때까지 관계가 이어지는 사람. 그 사람과 좋은 관계를 맺지 못하면 우리는 결코 행복해질 수 없습니다. 그러니까 배우자는 행복의 열쇠입니다.

다들 있을 때 잘합시다. 나중에 약수터에서 나무 끌어안고 '하아... 하아...' 이런 소리 내기 싫으면.

농(濃)을 던지다

잘 받아
지금 던지는 거

가볍니
장난 같니

하지만 내 맘은
짙어져만
가는
걸

★ (20대에 쓴 시작 노트)
한 남자가 있다.
그가 좋아하는 한 여자가 있다.
남자는 행여나 자신의 마음을 들킬까 봐 만날 때마다
농을 던졌다.
최대한 가볍게, 장난 같게, 마음을 눈치채지 못하도록.
그래서 여자는 그냥 웃었다.
남자가 재밌다고만 생각했다.

그런데 어떡하나.
농을 던질수록
마음속에 농이 더 열리는걸.
포도알처럼 주렁주렁 매달리는걸.
캠벨 포도처럼 짙어져만 가는걸.

진심은 때론,
웃는 얼굴로 나타난다.

부연 설명- 濃(짙을 농)과 弄(희롱할 농)을 조합하여
사랑의 본질에 다가간 작품.

할머니와 손자

비 갠 아침
할머니와 손자가 걸어갑니다
참새는 지저귀고 손자는 속삭입니다
할머니 쉬 마려

때마침 은행나무 하나 서 있습니다
은행내는 찌릉하고 할머니는 구성집니다
나무에다 싸

졸졸졸졸
졸 마니 싸네

줄줄줄줄
잘도 흐른다

하늘엔 노란 은행잎 걸려 있고
땅엔 노란 시냇물 흘러갑니다

★ 할머니. 듣기만 해도 푸근한 이름이죠. 엄마와는 또 다른 느낌입니다. 엄마는 우리에게 잔소리도 하고 화도 내고 가끔은 매도 듭니다. 아무래도 양육의 최전선에 있다 보니 책임감, 의무감도 있어서겠죠. 하지만 할머니는 양육에서 한 발짝 떨어져 있습니다. 인생의 황혼기라서 삶의 과제도 대부분 마쳤습니다. 의무감은 적고 여유는 많다 보니 어린 손주가 뭘 해도 예쁘기만 합니다. 할머니 앞에선 모든 것이 허용되죠.

그래서일까요? 가끔 TV를 보면 욕하는 할머니가 운영하는 음식점이 나오죠. 김치 좀 더 달라는 손님에게 "니가 갖다 처먹어 이놈아"라고, 앞치마 좀 달라는 손님에게 "그냥 대충 처먹어 이놈아"라고 일갈하죠. 그래도 손님들은 웃으며 식사합니다. 아마도 '할머니'가 갖는 푸근한 이미지 덕분에 이런 상황이 가능하지 않을까요?

그건 그렇고, 그래서 이 시는 뭘 표현했냐구요? 그냥 할머니와 손자의 정겨움을 나타내고 싶었습니다. 그 이미지를 나타내기 위한 시적 소재들이 뭐냐구요? 쉬 마려워 하는 손자와 할머니와 은행나무 등을 활용했습니다. 그런 소재들을 정확히 어떻게 배치해서 시상을 전개했냐구요? 어디선가 할머니가 외치네요.

"그냥 대충 읽어 이놈아!"

우리도 좀 먹고 살자

길 가운데 똥 한 덩이 놓여 있다
정확히 한 가운데 한 덩어리 놓여 있다
간밤에 젊음을 다 잃은 듯
검은 서리 껴 있는 넌
죽었니 살았니
이크에크 에크이크 택견을 하는 건지
헛다리를 짚는 건지
사람들은 잘도 피한다
호오 잘도 잘도 날도

전날 밤.
술 취한 털보의 눈은 붉었다
한 세상 사는 게 먹고 사는 건데
먹는 게 왜 이리 힘드냐고
사는 게 왜 이리 힘드냐고 울었다
면도할 시간도 없이 죽어라 일했건만
털보가 될 때까지 일만 했건만
왜 남는 건 털뿐이냐며
주저앉아 울었다
길 한가운데서 쭈그리고 울었다

똥을 싸며 울었다.

★ 어느 날인지 모르겠습니다. 친구와 걸어가고 있었는데 길 한 가운데 똥이 놓여 있었습니다. 당연히 사람들은 그 똥을 피해서 걸어갔고, 미처 발견 못 했다가 바로 앞에서 발견한 사람은 “이크!” 또는 “에크!” 하며 급하게 피했습니다. 밟기 직전에 본 사람들은 마치 축구선수 호날두처럼 허공에서 헛다리를 치며 가까스로 똥을 밟지 않았습니다.

‘개가 싼 모양이군.’ 우리는 지극히 상식적인 추론을 하며 점점 똥과 가까워졌습니다. 그런데 다가갈수록 뭔가 이상했습니다. 똥의 길이, 직경, 모양, 놓여 있는 모습 등이 너무나 친근했습니다. 저보다 시력이 더 좋은 친구가 말했습니다. “야, 저거 사람이 싼 거 아냐?” 마침내 직접 만질 수 있는 거리가 되었을 때, 어의가 매화를 살피듯(어의-임금 주치의, 매화-임금의 똥) 이리저리 관찰한 후 저도 말했습니다. “진짜 사람 똥이네.”

“대로에 똥이라니! 미친놈이네, 크하하하!” 친구는 폭소를 터뜨렸지만 저는 웃지 못했습니다. 그 똥에서 왠지 모를 슬픔이 밀려왔기 때문입니다. 대낮에 똥 싸는 사람은 없습니다. 그는 분명 밤에 쌌을 겁니다. 제정신으로 길에 똥 싸는 사람은 없습니다. 분명 멘탈이 붕괴될 정도의 극한 상황이었을 겁니다. ‘아무도 없는 한밤중 길 한가운데 똥을 싸다니, 대체 무엇이 그를 이 지경까지 몰고 갔을까? 대체 무엇이…’ 이런 생각이 들어서 마냥 웃을 수 없었습니다. 그리고 며칠 후, '어쩌면...'이라는 생각으로 써 내려간 것이 바로 이 시입니다.

길거리의 똥에서도 시상은 떠오르는 법입니다. 시를 어렵게 생각하지 마세요.

수험생과 어머니와 고구마

시원한 바람이 기분 좋은 시월
어두컴컴한 독서실에 종일 있다가
배고파서 집으로 갔다.
집은 텅 비어 있었다.

어머니가 어디 가셨나?
그 순간,
대문이 열리며 어머니가 들어오셨다
장을 보고 오셨는지 양손엔 보따리가
한가득인데,
고구마 한 무더기가 눈에 띈다.

고구마 사셨어요?
응, 하도 싸게 팔길래.
고구마는 방금 뽑은 듯 흙투성이였는데,
한 눈에도 어른 팔뚝만 해 보였다.

고구마가 무지 크네요.
응, 그라제.
어머니는 그 중,
제일 굵은 놈 하나를 고르시더니

터덕터덕 흙을 털어내시더니
나와 고구마를 이리저리 훑으시더니

그래도 우리 아들 거보단 좀 작제?
짓눌린 엉덩일 터덕터덕 두들겨 주신다

햇살 한 줄기 없는
컴컴한 독서실에 처박혀
책 구경만 하는 아들이 기죽을까 봐
어머니는 연신 아들의 엉덩이를 두들긴다.
우리 아들 게 더 크제?

세상 모든 아들은
엄마 앞에선 고추일 뿐이다.
작은 풋고추일 뿐이다.

★ 임용 재수 시절이었습니다. 시험이 얼마 남지 않은, 어느 가을날이었죠. 나이는 먹고, 시험은 점점 다가오고... 심란한 마음으로 독서실을 나와서 저녁을 먹으러 집으로 향했습니다. 집은 비어 있었습니다. '엄마가 어디 가셨나?'라고 생각할 때, 어머니가 양손에 보따리를 들고 들어오셨습니다. 아들 저녁 차려주려고 장을 봐 온 것이었죠. '그냥 대충 국에 말아 먹으면 되는데...'라고 생각할 때, 어머니가 갑자기 보따리에서 가장 큰 고구마를 꺼냈습니다. 그리곤 제 엉덩이를 툭툭 두들기며 '그래도 우리 아들 거보단 작지?'라고 말씀하셨습니다. 울컥, 눈물이 날 거 같았습니다.

하나 있는 아들이 젊은 나이에 종일 독서실에 처박혀 있을 때, 어머니 마음은 어떨까요? 아마도 아들보다 더 심란하고 복잡하고 답답하지 않을까요? 그런데도 아무 내색 없이 그저 제 엉덩이를 두드려 주셨습니다. '엄마는 우리 아들 믿지' 그 마음이 전달되었습니다.

드라마 <미생>에서 장그래가 말하죠. '잊지 말자. 나는 엄마의 자부심이다.' 저 역시 같은 마음이었습니다. '잊지 말자. 나는 고구마보다 더 크다.' 그 결과 시험에 합격하고 이렇게 교사 생활을 하고 있는 건지도 모르겠네요.

서정주 시인의 <어머니>라는 시를 곁들이며 글을 마칩니다.

어머니 -서정주

'애기야……'
해 넘어가, 길 잃은 애기를
어머니가 부르시면
머언 밤 수풀은 허리 굽혀서
앞으로 다가오며
그 가슴 속 켜지는 불로
애기의 발부리를 지키고

어머니가 두 팔을 벌려
돌아온 애기를 껴안으시면
꽃 뒤에 꽃들
별 뒤에 별들
번개 뒤에 번개들
바다에 밀물 다가오듯
그 품으로 모조리 밀려들어오고

애기야
네가 까뮈의 이방인의 뫼르쏘오같이
어머니의 임종을 내버려두고
벼락 속에 들어앉아 꿈을 꿀 때에도
네 꿈의 마지막 한 겹 홑이불은
영원과, 그리고는 어머니뿐이다.

모든 것은 때가 있다

모든 것은 때가 있다
하다못해
때도 때가 있다

때는 아무 때나 밀 수 없다
일단 차곡차곡 쌓일 때까지 기다려야 한다
한 겹, 한 겹 나무에 나이테가 쌓이듯 기다려야 한다
손으로 스윽 밀면 국수 말리듯 말려야 한다
그때까지 기다려야 한다

그렇게 쌓여도 아무 때나 밀 수 없다
그렇게 쌓이면 일단 불려야 한다
36.5도보다 약간 더 뜨거운 물에
국수 삶듯 몸을 불려야 한다
때가 저절로 풀릴 때까지 불려야 한다

그렇게 불려도 막 밀면 안 된다
그렇게 불리면 정성껏 밀어야 한다
이태리 때타월로 구석구석 빈틈없이
구석진 곳 음침한 곳 소홀함 없이
온몸이 발그레해질 때까지 밀어야 한다
그래야 때 좀 밀었다고 할 수 있다

때도 때가 있다
모든 것은 때가 있다

★ 때 미시나요?

세척 문화가 샤워 방향으로 발달해서 요즘은 예전만큼 때를 미는 사람들이 많지 않은 거 같네요. 동네 목욕탕에서 아빠와 함께 때를 민 후 시원하게 들이켜는 바나나우유는 이제 옛이야기가 되었습니다.

때를 밀어본 분은 알겠지만 정말 때도 때(時)가 있습니다. 때를 벗겨낼 최적의 시간대가 있는 거죠. 일단 때가 쌓일 때까지 기다려야 합니다. 명절에 아이들을 목욕탕에 데리고 간 게 괜히 그런 게 아닙니다. 때가 쌓일 때까지 기다렸던 겁니다. 쌓이면 바로 밀 수 있나요? 그것도 아닙니다. 옷을 벗자마자 바로 때 타월을 들이밀면 때는 절대 밀리지 않습니다. 수육 삶듯, 뜨뜻한 물에 몸을 담그고 충분히 불려야죠.

불린 후에는? 마음과 육체의 모든 에너지를 때 타월에 집중시킨 후 정성껏 밀어야 합니다. 더러운 때니까 그냥 대충 밀어도 된다? 아닙니다. 그럼 결코 때는 잘 밀리지 않습니다. 옛날에 이런 일이 있었습니다. 아버지 따라서 목욕탕에 갔었죠. 어릴 때여서 목욕탕이 저에겐 워터파크 놀이동산이었습니다. 냉탕, 온탕 오가며 실컷 놀기만 하고 때는 그냥 대충 밀었죠. 아버지가 "때는 다 밀었냐?"라고 해서, "응, 다 밀었어."라고 했습니다. "최선을 다했냐?"라고 해서, "응, 최선을 다했어."라고 했습니다. "한 가닥 당, 한 대씩이야."라고 말씀하신 후, 아버지는 저를 때밀이 아저씨에게 데려갔습니다. 그분에게 몸을 맡기자마자 제 몸에선 칼국수 같은 때 가닥이 후두둑 후두둑 떨어졌습니다. 아버지는 면발 같은 때를 제 얼굴에 던지며 말했습니다. "최선을 다했다고? 이게? 아들아, 잘 들어라. 앞으로 '하고 싶은 일'과 '해야 하는 일'을 계속 만날 거다. '하고 싶은 일'은 지금 당장 하고 싶고, '해야 하는 일'은 최대한 미루고 싶지? 근데 서둘러서도 안 되고, 미뤄서도 안 돼. 둘 다 적당한 때가 있어. 너 엄마, 아빠 말 안 듣고 네 맘대로 종일 게임기만 하고 싶지? 지금은 그럴 때가 아니야. 또 책 읽고 공부하라 그러면 계속 미루고 싶지? 미루면 안 돼. 지금은 그걸 해야 하는 때니까. 당장은 이해가 안 되겠지만 너도 크면 알게 될 거다. 왜 다 때가 있다고 하는 건지. 그리고 한 가지 더. 그 '때'가 되면 최선을 다해야 해. 마치 오늘만 사는 사람처럼. 그렇지 않으면 무수한 너의 '내일'을 누군가에게 저당잡힌 채 살아갈 거다. 마치 때밀이 아저씨에게 잡혀 있는 지금의 네 모습처럼 말이야."

인생은 타이밍.
모든 건 때가 있습니다.
하다못해 때도 때가 있습니다.

강쇠의 꿈

옛날엔 동네 아낙네들이 날 보며 놀랐다
억수로 단단하네예~
단단하네예?
오예스!

지금은 날 보며 모두 놀린다
뭐가 이리 물렁하노~
물렁하노?
오노!

젊었을 땐 길가에 깔린
차돌 같은 인생이라
툴툴거렸건만

이젠
차돌 같던
그 시절이 그립구나

마누라에게 발로 차이며
오늘도 난
홍시를 말린다.

★ 라떼는 말이야…
내가 왕년에는…
그래도 그 시절이 좋았는데…

세월 앞에 장사 없죠. 사람은 누구나 나이를 먹고 늙어갑니다. 어느 날 샤워하다 거울에 비친 알몸을 바라봅니다. 넓어지는 이마 라인, 처지는 피부 탄력, 그리고 점점 물렁해지는 그것. 구석구석 확인한 후 나직이 읊조립니다. '언제 이렇게 늙었지…?'
젊을 땐 모릅니다. 그 젊음에 끝이 있다는 걸 말입니다. 청춘이 머물러 있고, 젊음이 영원하다는 착각에 빠져 살아가죠. 그럴 수밖에요. 그 시기는 '과잉의 육체' 시기니까요. 밤새워 놀며 에너지를 탕진해도 다음 날이면 다시 '풀충전'입니다. 아무리 퍼내도 젊음의 샘은 마르지 않습니다. 그러니 착각할 수밖에요. '아, 젊음은 영원하구나.'
그래서 우리는 그 시간을 함부로 씁니다. 마구 낭비합니다. 다들 젊었을 때를 떠올려 보세요. 어땠나요? 먹고 마시고 노는 데 대부분의 시간을 쓰지 않았나요? 젊음을 밑빠진 독에 끝없이 들이붓지 않았나요? 어떤 소설가는 말했습니다. '젊음은 젊은이에게 주기에는 너무 아깝다.'

길가에 널린 돌멩이처럼 함부로 대하고 끝없이 낭비

하던 젊음은 결국 바닥이 납니다. 그때부터 우리는 음료 기호가 바뀝니다. '라떼는 말이야...'하면서. 지나간 시간을 그리워 합니다. '내가 왕년에는...'하면서. 좋았던 그 시절로 돌아가기 위해 모든 시간과 에너지를 바칩니다. 이마 라인에 머리를 심고, 얼굴에 보톡스를 맞습니다. 그리고 이제는 홍시처럼 물렁해진 그것을 말리기 시작합니다. 곶감으로 만들기 위해서. 조금이라도 단단해지기 위해서. 하지만 슬픈 사실은,

곶감은 말릴수록 작아진다는 것이죠.

너와 헤어지는 건

너를 못 보는 건
콧구멍으로 삐져나온 다른 남자의 코털을
보는 것과 같다.

너와 헤어지는 건
반팔 틈새로 다른 남자의 겨털을
보는 것과 같다.

너와 이별하는 건
티셔츠 위로 삐죽 솟은 다른 남자의 유두를
보는 것과 같다.

너와 남이 되는 건
다른 남자 무릎 위에 앉아서 그의 살송곳을
느끼는 것과 같다.

너와 헤어지는 건
그런 것이다.

★ 저는 남자입니다. 그래서,

다른 남자의 코털이 싫습니다.
다른 남자의 겨털이 싫습니다.
다른 남자의 유두가 싫습니다.
다른 남자의 살송곳이 싫습니다.
그 정도로 당신과 헤어지기 싫다는 말입니다.

이번 시는 코털, 겨털, 유두, 살송곳 등을 시어로 활용하여 '이별의 고통'을 형상화해 보았습니다. 우리가 흔히 접하는, 심지어 매일 아침마다 확인하는 신체 부위 용어들이죠. 이런 용어들로도 시를 쓸 수 있냐구요? 지금 썼잖아요. 이런 저렴한 단어들로 '이별의 고통' 같은 고상한 정서를 표현할 수 있냐구요? 지금 했잖아요.

시에 쓰이는 '시어'를 마치 보석처럼 어딘가에 따로 존재하는 특별한 용어로 생각하는 분들이 있습니다. 그러지 마세요. 우리가 일상에서 쓰는 단어가 시에서 사용되면 그게 '시어'입니다.

진심을 꺼내다

어느 술 취한 남자가
길 한가운데서 꺼낸다.

남자는 무척이나 고민했을 것이다.
주변 사람들의 시선, 가로등 불빛의 밝기,
자신의 오줌발 세기, 옅고 짙음의 농도,
자신의 사회적 위치, 집에 있는 가족들,
누군가와 마주칠 가능성,
누군가 감당해야 할 정신적 충격,
지나가던 행인이 맞을 확률,
세상에 공개하는 아담의 불안함,
눈 감으면 코 베어가는 세상,
코인 줄 알고 베어가면 어쩌나 하는 걱정,

그 모든 고민을 이겨내고
남자는 꺼냈을 것이다.

나도
네 앞에서
꺼, 낸, 다.

★ 분명히 말합니다!

마지막 연(4연)에서 시적 화자가 꺼내는 것은 자신의 속마음입니다. 아마도 시적 상황은 좋아하는 이성에게 고백하는 순간이겠죠. 속으로 품고만 있었던 상대방에 대한 진심을 비로소 끄집어내어 전달한다는 의미로 '꺼낸다'라고 표현한 것입니다. 자칫 외설이냐 예술이냐 논란에 휩싸일 수 있기에 확실하게 짚고 넘어갑니다. 속마음입니다.

자, 시에 대해 좀 더 설명하자면,

다들 고백해보셨죠? 알몸 같은 알마음을 내보이는 일. 얼마나 떨리고 설레고 긴장되고 두렵고 걱정되고 조마조마합니까. 정말 상대방에게 마음을 전달하기 전까지 머릿속으로 무수한 고민을 하죠. 나 혼자 착각했던 거면 어쩌지, 날 이상하게 생각하면 어쩌지, 혹시나 거절하면 어쩌지, 고백한 후에 관계가 어색해지면 어쩌지 등등. 그 수많은 고민을 뚫고 우리는 입밖으로 꺼냅니다. "사실은 말이야, 내가 널..."

그 마음을 노상방뇨하는 남자의 용기와 병치하여 표현해 보았습니다. 대체 노상방뇨랑 뭔 상관이냐구요? 그 남자도 무수한 고민 끝에 자신의 알몸을 꺼내잖아요. 노상방뇨 그거 쉽지 않습니다. 정말 절박할 때 용기 내어 꺼내는 거예요. 마치 알마음을 꺼내는 고백남처럼.

꼬치 장수

오늘도 꼬치가 안 팔린다
천 원짜리 꼬치 팔면
남는 돈은 백 원
열 개 팔면 천 원
천 개는 팔아야 재료비라도 나오는데
사람들은 저마다 꽂힌 데가 있는 듯
자기만의 과녁을 향해 바쁘게 달려간다

어묵꼬치 닭꼬치 떡꼬치 햄꼬치
꼬치꼬치 다 꽂아도 팔리는 건
어묵꼬치 몇 개뿐
탕후루 꼬치 있어요?
마시멜로 꼬치 있어요?
듣도 보도 못한 꼬치를
사람들은 꼬치꼬치 캐묻는다

에라이 집에나 가자
장사를 접고 집에 가니
이번엔 마누라가 꼬치꼬치 캐묻는다
많이 팔았어?
얼마 벌었어?

오늘 번 만원을 손에 쥐어주니
마누라 얼굴엔 웃음꽃이 없다

여자친구 있어요?
예전엔 꼬치꼬치 캐묻는 여자들이 많았는데
아니요, 솔로입니다
여자들 얼굴은 항상 웃음꽃이었는데
왕년엔 꽃을 든 남자였는데
이젠,
꼬출 들 힘도,
없다.

★ '운율' 아시죠? 시의 본질적 특성 중 하나죠. 학교에서 시 공부할 때 아마 무수히 접했을 겁니다. 내재율, 외형률, 음수율, 음보율, 두운, 요운, 각운, 수미상관, 음성 상징어... 그만 하라구요? 걱정 마세요, 설명할 생각도 없으니까요. 저렇게 시를 분석하고 학습 대상으로 접하는 순간 시의 재미는 사라집니다. '운율'을 느끼는 건 공부와 상관없습니다. 그냥 시에 마음을 맡기고 흥얼거리다 보면 어느 순간 리듬을 타고 있을 겁니다.

이 시도 마찬가지입니다. 읽으면서 왠지 모르게 자꾸 리듬을 타게 되죠? 당연하죠. 단어와 문장 구조 등을 운율감이 형성되게 배치했으니까요. 핵심은 'ㄲㅊ'소리의 반복입니다. 일단 '꼬치'라는 말이 엄청 반복되죠. 또 '꼬치'라고 쓰진 않았지만 'ㄲㅊ'소리가 들어있는 단어들이 많습니다. (꽂힌, 꽃이, 꽃을, 꼬출) 다 의도적으로 배치한 겁니다. 운율을 형성하기 위해서. 이번 시는 운율감 형성에 힘을 좀 줬습니다.

그럼 그 운율로 어떤 정서를 표현했냐구요? 꼬치 장수의 애환을 표현했습니다. 시를 이야기로 한번 풀어보겠습니다.

시적 화자는 꼬치 노점상을 운영하고 있는 꼬치 장수다. 꼬치 하나를 팔면 백 원이 남는데 잘 안 팔린다. '한국의 먹거리'라는 티브이 프로에 길거리 꼬치 문화가 방영되면서 꼬치 노점상이 뜨길래 ‘이거다’하고 시작했는데 그가 시작할 땐 이미 유행의 끝물이었다. 사람들은 어지간한 꼬치엔 이제 반응하지 않는다. ‘탕후루 꼬치 있어요?’, ‘마시멜로 꼬치 있어요?’라고 젊은 사람들이 와서 묻는데 청국장을 가장 좋아하는 그가 MZ세대의 입맛을 따라잡기엔 너무 버겁다. 날은 춥고 해는 저물어 가는데 손님은 없다. 뜨뜻한 아랫목이 그리워진 그는 집으로 간다. 수고했다고 안아줄 줄 알았던 마누라는 보자마자 얼마 벌었냐고 묻는다. 오늘 번 만 원을 쥐어 주니 표정이 싸늘히 식는다. 문득 옛날 생각이 난다. 반반한 얼굴 덕분에 주변에 항상 여자들이 있었는데. 꽃을 들고 고백하면 열에 아홉은 다 넘어왔는데. 화려했던 그 시절은 다 어디로 갔나. 문득 요의가 느껴졌다. 화장실로 가서 오줌을 누는데 꼬추가 밑으로 축 처져서 오줌도 신발로 떨어진다. ‘안돼! 신발이 젖고 있어! 꼬추를 들어야 해’라고 생각하는데 꼬추를 들 수가 없다. 그는, 힘이 없다.

이 시대 모든 가장들에게 이 시를 바칩니다.

물방구

너는 어찌 이다지도 무르단 말이냐
물러터진 게 꼭 지아빌 닮았네
문득 어머니의 말씀이 떠올랐다

좀만 더 참으면 단단해질 것을
왜 이리 빨리 나왔냐
첨부터 부지런히 나왔으면 가볍게 날아갈 것을
왜 이리 꾸물거렸냐

붇도 아니고 뀌이도 아닌
퓨퍽은 대체 뭐란 말이냐

허나,
나는 널 어쩔 수 없다
너를 단단하게 굳힐 수도
가볍게 날릴 수도 없다
세상에 나온 넌 이미,

날 정복하였다.

★ 사람은 누구나 보편성과 개별성을 가지고 있죠. 주변을 둘러보세요. 사람 사는 거 다 거기서 거기죠? 누구나 다 밥 먹고 똥 싸고 사랑하고 헤어집니다. 그게 보편성입니다. 근데 자세히 살펴보면, 또 완전 똑같지는 않아요. 한 명 한 명 조금씩 다릅니다. 누구는 하루에 밥을 한 번 먹기도 하고 누구는 일주일에 한 번 똥 싸기도 합니다. 어떤 이는 결혼 후 첫날밤을 치르기도 하지만 다른 이는 섹스를 먼저 한 후 사귀기도 합니다. 그게 개별성이죠.

시도 보편성과 개별성을 모두 가져야 합니다. 그래야 좋은 시죠. 보편성이 있어야 공감이 되고 개별성이 있어야 흥미롭습니다. 소개팅 나갔는데 남자가 군대 얘기만 해요. 그 얘기 계속 듣고 싶나요? 당연히 듣기 싫죠. 나는 전혀 공감이 안 되니까요. 또 소개팅 나갈 때마다 남자들이 하나같이 '눈이 참 예쁘시네요.'라고 말해요. 그 말 계속 듣고 싶어요? 듣기 싫진 않겠지만 딱히 그 말에 별 감흥도 없죠. 식상하니까요. 시도 마찬가지입니다. 시가 전하는 정서에 공감이 되어야 '아, 나도 이런 감정 느꼈는데...'하며 몰입합니다. 시에 쓰인 소재나 표현이 독특하고 색달라야 '야, 어떻게 이런 걸 요렇게 표현했지?'하며 흥미를 느낍니다. 독자가 시의 표현들에 흥미를 느끼고 시의 내용에 공감하며 감동 받아서 가슴을 부여잡는다면? 뭐 시인으로선 더 바랄 게 없겠죠. 저 역시 항상 보편성과 개별성 두 마리 토끼를 다 잡으려 하지만 역량 부족이네요. 그래도 둘 중 한 마리는 꼭 잡으려 애씁니다. 이번 시는 '보편성' 즉, 공감에 포인트를 둔 시입니다.

방귀가 마렵습니다. 주위를 둘러봅니다. 아무도 없습니다. '좋았어!' 결심하고 힘차게 내뿜는 순간! '어, 자, 잠깐, 안돼!!!!!' 했던 경험. 다들 있으실 겁니다. 어느 오디션장에서 심사위원이 말한 '공기 반 소리 반'의 맑고 청아한 음색이 아닌, '공기 반 물 반'의 축축한 음색. 분명 방귀라 생각하고 힘차게 뿜었는데 팬티가 젖은 그 느낌. 다들 있으시죠? (혼자 이 책을 읽고 있다면 격하게 고개를 끄덕이겠지만, 연인과 함께 읽고 있다면 '아, 이런 경우도 있어?' 하며 의뭉을 떠실 테죠. 다 압니다.)

주로 배가 불편할 때 이런 경우가 많죠. 설사는 안 했지만 설사할 듯한 느낌이 살살 들면서 자꾸 배에 가스가 찰 때. 예를 들면, 우유 소화 효소가 없어서 우유를 안 먹는 사람이 우유 한 잔 마신 경우랄까요? 이 경우 소화 효소가 없으니 영양분들이 소화가 덜 되어서 자꾸 가스가 발생합니다. 또한 소화가 제대로 안 되었으니 수분 흡수를 담당하는 대장 기능도 방해를 받아서 장내에 수분이 많이 남아 있을 겁니다. 하지만 이런 세부적인 뱃속 상황을 사람이 하나하나 어떻게 인지하나요. 우리가 이런 거 따지고 계산하며 방귀 뀌나요. 그냥 마려우면 뀌잖아요. 그러다 결국, '퓨퍽!' 대참사가 발생하죠.

이 시에 대해 할 말이 많지만 더 이상 쓰면 시집 전체의 이미지가 타격을 받을 듯하여 이만 줄입니다.

마렵다

마려워
니가 너무 마려워
참으면
내 얼굴은 누래지고
더 참으면
황금눈물 흘린다

마려워
니가 정말 마려워
아끼다 똥 된다는 속담도 있던데
난 지금 똥 직전이다

그래서
한쪽 엉덩일 살짝
너만 알 수 있게 살짝,

내 맘 들리니?

★ 제 시를 관통하는 키워드가 '더티'는 아닙니다만, 어쩌다 보니 시적 화자가 자꾸 구린내를 풍기고 있네요. 이번 시도 '뒤 마려움'과 관련이 많습니다.

잊을 만하면 연예인 마약 복용 기사가 올라오죠. 마약이 무서운 이유가 뭔가요? 중독성 때문이죠. 어느 날 티브이에 마약 중독의 위험성에 대해 나오더군요. 마약을 한 번 하면 왜 끊기 힘드냐는 질문에, 전문가가 말했습니다. "급똥(폭풍 설사) 알죠? 마약을 참는다는 건 급똥을 참는 것과 같아요. 마약이 투여되기 전까지 중독자는 급똥 상태에 있는 거죠. 급똥 상태로 일상 생활 가능해요? 일상은커녕 채 10분도 버티기 힘들 걸요. 마약 중독자는 그와 같은 상태인 겁니다." 저는 전문가의 말을 듣고 두 가지를 깨달았습니다. 첫째, '뒤 마려움'은 마약에 비견될 정도로 강렬한 정서적 상태다. 둘째, 그 '뒤 마려움'은 다른 강렬한 정서를 표현할 때 아주 유용하게 쓸 수 있다.

모든 정신과 에너지가 하나의 문(항문)만 찾는 정서적 상태. 바로 '마려울' 때입니다. 그렇게 강렬히 하나의 문을 찾는 또 다른 상태는 언제인가요? 네, 바로 '사랑할' 때입니다(이번엔 마음의 문). 이번 시는 그 두 가지 상황을 결합했습니다. 다만 '급똥'을 '급방귀'정도로 살짝 완화했습니다. 아무래도 '똥'은 너무 되고 무겁잖아요. 누가 똥처럼 고백한다고 생각해 보세요. 너무 부담스럽죠? 처음 고백하는 마음의 소프트함과는 거리가 있어서 살짝 힘을 뺐습니다.

뒤가 마려울 정도로 누군가 좋으세요? 그 마음 참지 말고 보내세요.
한쪽 맘을 살짝
그(그녀)만 알 수 있게 살짝.

그런 때가 있었다

추운 겨울날
낡은 모텔로 들어가는 남녀가 있었다

카운터에서 숙박비를 계산하는
여자 맘을 아는지 모르는지
돈 오만 원이 얼마나 큰지 아는지 모르는지
처음 가는 그곳이 마냥 신기해서
남자는 들떠있었다

여자는 들어가자마자
욕탕에 뜨거운 물부터 받았다
거울에 하얗게 김이 서리고
욕탕에 뜨거운 물이 철철 넘치고
욕실 전체가 수증기에 휩싸였을 때
여자는 남자를 불렀다
팔다리 가슴 배 등 엉덩이 겨드랑이 사타구니
손가락 발가락까지
여자는 남자를 씻겼다

뜨거운 수증기 때문에 여자의 모습은 안 보였지만
남자는 좋았다

물이 끓을 때까지 덜덜 떨 필요도,
끓인 물이 너무 뜨거워 데일 위험도,
물이 식기 전에 빨리 끝내야 하는 초조함도,
그날은 없었다
목욕을 끝내고 남자는 침대에 올라갔다
도로 땀이 날 때까지 방방 뛰던 남자는
이제 그만 자야지라는 여자의 말을 듣고
여자의 얼굴을 보지 않은 채
여자의 품을 파고 들었다
그날따라 유독 말이 없는 여자가 이상하다고 생각하며
남자는 잠이 들었다

무슨 이유인지 모르지만
어느 겨울날 낡은 모텔로 들어가는
모자(母子)가 있었다

★ 시(문학)를 감상하는 4가지 관점으로 절대론, 표현론, 반영론, 효용론이 있습니다. 그중 표현론은 시인의 삶과 내면세계 등을 작품과 관련지어 감상하는 관점이죠. 이번 시는 표현론적 관점에서 감상해 보겠습니다. (작품의 이해를 돕기 위해 제 얘기를 좀 하겠다는 겁니다.)

부모님은 사이가 좋지 않았습니다. 어머님이 살림도 하고 가정 경제도 책임졌으니 사이가 좋을 수가 없었죠. 아버지는 불성실한 근태로 금성사(LG전자의 전신)에서 쫓겨난 이후 대부분의 시간을 백수로 보냈습니다. 중간에 건어물 장사를 했지만 제 버릇 개 못 준다고 역시나 불성실한 자세로 금방 말아 먹었습니다. 아버지는 성실한 개미와는 거리가 멀었습니다. 게으른 사자에 가까운 사람이었습니다.

'술만 안 먹으면 참 좋은 사람인데...'라는 말 혹시 들어보셨나요? 바로 저희 아버지를 두고 하는 말이었습니다. 물론 가정 경제를 어머니가 책임졌기에 술 안 먹을 때도 만점 가장이라고 할 순 없었지만, 그래도 집안 분위기는 괜찮았습니다. 아버지는 유머가 있는 사람이었거든요. 게다가 술 안 먹은 아빠는 세상에서 제일 재밌는 친구였습니다. 같이 게임도 하고 캐치볼도 하고 레슬링도 하고. 적어도 저한텐 좋은 아빠였죠.

그놈의 '술'이 문제였습니다. 사실 금성사도 술 먹고 결근하는 패턴이 반복되면서 쫓겨난 거거든요. 아버지의 백수 생활이 길어질수록 점점 술에 취해 있는 시간도 늘어갔습니다. 하긴 사지 멀쩡한 젊은 남자가 마누라가 벌어온 돈만 축내고 방구석에 있으니 얼마나 괴로웠을까요? 사자로 태어난 사람한테 자꾸 개미를 강요하니 얼마나 답답했을까요? 성인이 된 지금은 아버지를 이해합니다만, 어릴 때만 해도 이해 불가였습니다. 세상은커녕 가족도 자기를 이해해주지 않자, 아버지는 조금씩 폭력적으로 변해갔습니다. 그 대상은 어머니였습니다. 아마도 평소 억눌려있던 자격지심이 술기운에 의해 폭발했던 거겠지요.

도를 넘는 날이 가끔 생기기 시작했습니다. 아버지가 손에 과도를 들기 시작한 거죠. 폭력에 조금씩 적응하며 점점 악바리처럼 대드는 어머니를 제압하기 위해서 이제 맨몸은 안 되겠다고 생각했는지 눈이 풀릴 정도로 취한 날이면 아버지는 칼을 집었습니다. "이 썅년, 배때지를 확 쑤셔버린다!" 아버지는 과도를 들고 어머니를 위협했습니다. 아무리 악바리가 되었다고 해도 어머니는 여자였습니다. 칼 든 사내를 어떻게 상대하나요. 도망가야죠. 하나뿐인 아들을 데리고 추운 겨울날 집 밖으로 뛰쳐 나옵니다. 인근 모텔에 아들과 함께 들어갑니다.

그때만 해도 저희 집은 가난했습니다. 방 한 칸 세를 얻어 주인집과 같이 사는 신세였죠. 겨울에 목욕하려면 물을 따로 끓여서 그 물을 찬물과 조금씩 섞어서 씻어야 했습니다. (이렇게 쓰니까 되게 옛날 사람 같네요. 엄마가 저를 씻겨주던 때니까 시간적 배경은 아마 제가 7, 8살 때일 겁니다. 그러니까 80년대 후반쯤?) 그래서 겨울에 목욕하는 게 정말 싫었습니다. 엄마가 물을 끓일 때까지 목욕탕에서 덜덜 떨면서 기다려야 했거든요. 너무 추웠습니다. 엄마가 끓인 물을 가져와서 몸에 부어도 괴롭긴 마찬가지였습니다. 이번엔 또 너무 뜨거웠으니까요.

아들을 씻기는 어미가 그 맘을 모를까요? 그래서 엄마는 모텔에 가자마자 욕탕에 뜨거운 물부터 받았습니다. 지금 말로는 '온수 플렉스'라고 할 수 있겠네요. 뜨거운 수증기로 가득 채운 후 천천히 씻겨주었습니다. 덜덜 떠는 아들이 가여워 평소 씻겨주지 못했던 발가락 사이사이까지. 물이 식기 전에 후딱 끝내야 해서 항상 대충 씻겼던 사타구니 구석구석까지. 수증기인지 눈물인지 모를 뜨거운 물기를 눈에 가득 품고서 어머니는 저를 씻겼습니다.

그래서일까요? 그때의 엄마 얼굴이 잘 기억나지 않습니다. 분명 처음 누워 보는 침대가 너무 신기해서 방방 뛰었던 건 기억나는데, 엄마의 얼굴은 기억이 안 납니다. 아마도 엄마의 얼굴을 보지 않아서겠죠. 슬픔이 가득한 엄마 얼굴을 좋아하는 아들은 없으니까요.

이 시는 그때의 경험을 바탕으로 쓴 겁니다.

3부

홀어머니

어머니 저희 왔어요
너희 왔니? 홀홀
아직 틀니도 하지 않은 엄니의 입에선
바람소리가 난다 홀홀

밥은 잘 먹고 댕기냐
그럼요
그럼 됐지 뭐 홀홀
언제부턴가 어머니의 웃음은 홀홀

문득, 어렸을 적 기억 하나 떠오른다
커서 엄마랑 결혼할 거야
엄마는 할머니 될 텐데?
그래도 할 거야
사람은 누구나 자기 짝이 있단다
때가 되면 각자의 길을 가는 거야

그렇게 때가 되어 제 짝 찾아오니
새끼까지 쳐서 가장으로 돌아오니
이제 엄니 웃음만 남았네 홀홀
혼자 웃고 계시네 홀홀

★ 제 얘기를 또 해야겠네요.

제가 중학교에 다닐 무렵, 부모님은 결국 이혼하셨습니다. 그때부터 저는 어머니와 단둘이 살게 되었죠. 항상 술과 폭력을 일삼았던 아버지였기에 이혼 전부터 아버지는 제 맘에서 지워진 지 오래였습니다. 실제로 20대 중반 무렵, 아버지가 돌아가셨다는 소식을 들었을 때도 눈물 한 방울 나오지 않았습니다. (물론 지금은 아버지를 이해합니다. 저도 나이를 꽤 먹었으니까요.)

자식을 위해 한평생 희생한 어머니. 우리 민족의 어머니상이죠. 저희 어머니가 딱! 그런 어머니였습니다. 어머니는 대학교 식당에서 일하셨는데, 새벽 5시에 출근하고 밤 10시에 돌아오셨습니다. 돌아와서는 밤 12시까지 또 집안일을 하셨습니다. 그러니까 어머니가 하루 중 본인을 위해 쓴 시간은 5시간, 수면시간뿐이었습니다. 왜 그러셨을까요? 아들만큼은 고생 안 시키려고. '엄마가 다 할게, 넌 그저 잘 크기만 해다오.' 이런 맘이셨겠죠.

그래서였을까요? 저는 아무 어려움 없이 중, 고등학교를 평범하게 다녔습니다. 어머니는 새벽에 일어나서 제 아침상도 차리고 점심, 저녁 도시락까지 싸셨습니다. (그때만 해도 강제 야자 시절, 저녁 도시락까지 싸 갔죠.) 저는 늘 세 끼를 풍족하게 먹었습니다. 또한 '엄마, 책 사야 해', '엄마, 학원 수강해야 해'라는 제 말에 엄마는 한 번도 토를 달지 않았습니다. 백지수표처럼 제가 달라는 만큼 무조건 주셨습니다. 저는 우리 집이 가난하다는 생각을 못 했습니다. 가장 빛나는 시절의 젊음과 에너지를 저에게 아낌없이 퍼준 어머니 덕분에 정말 평범하게 컸습니다.

제가 크면서 가장 많이 들었던 말과 가장 듣기 싫었던 말이 있습니다. 가장 많이 들었던 말은 '엄마가 너 하나 보고 사는 거 알지? 열심히 해야 한다.'였습니다. 친척들, 특히 삼촌들은 저를 볼 때마다 저 말을 했습니다. 삼촌들은 아마도 누나가 자식 때문에 고생하는 일이 없기를 바라는 마음이었겠지요. 가장 듣기 싫었던 말은 '서방복 없는 년이 자식 복은 있으려구…'였습니다. 어머니가 저한테 실망하셨을 때 나직이 읊조리는 혼잣말이었습니다.

저 두 가지 말은 때론 마음의 빚으로, 때론 보이지 않는 채찍질로 다가왔습니다. 제 입으로 말하기 뭐하지만 그래서 저는 크게 엇나갈 수 없었습니다. 늘 마음 한구석엔 엄마가 있었기에 자기 관리에 철저한 편이었습니다. 친구들과 학원 다닐 때도 그 흔한 '땡땡이' 한 번을 치지 않았습니다. 학원에 낸 그 돈이 엄마의 젊음과 바꾼 돈이란 걸 마음 한구석에선 느끼고 있었으니까요.

그렇게 엄마 덕분에 여기까지 왔습니다. 등록금 걱

정 없이 대학 생활도 마쳤고 졸업 후엔 생활비 걱정 없이 편하게 공부하며 임용시험도 통과했습니다. 결혼하고 애 낳고 4인 가족을 이룬 후, 잘 먹고 잘 살고 있습니다. 어머니도 건강하게, 아직은 할머니라는 말이 어색할 정도로 젊게 잘 지냅니다.

그래서 가끔은 겁이 납니다.
이 순간이 영원하지 않기에,
내가 나이를 먹을수록 엄마는 늙어가기에,
언젠가 엄마 웃음소리에서 바람 빠지는 소리가 날까 봐.
훌훌.

시스룩 입었다기에

시스룩 입었다기에, 그녀를 만나기로 정했다네
시스룩 입었다기에 오마카세 예약했지
그녀를 만나는 곳 100미터 전
내 심장은 씩씩대네 시스룩 입었다기에.

그녀가 저기오네 입은겨, 안 입은겨
그녀가 다가오네 보이는겨 안 보이는겨
그녀가 왔다네 가린겨 만겨

시스룩 입었다기에 통장잔고 다 털었는데
시스룩 입었어도 속마음은 안 보이네

보일 듯 보일 듯 보이지 않아
시스룩이 아니라 시무룩이네.

★ 시스룩. 언뜻 보면 속이 좀 비치고 자세히 들여다 보면 뭔가 다 보일 듯한 기대감을 주는 패션이죠. 하지만 보일 듯하면서도 정작 중요한 부분은 보이지 않는 패션입니다. 바로 이게 핵심이죠. 정작 중요한 부분은 보이지 않는다는 것!

남자들은 늘 착각합니다. 상냥한 미소, 다정한 말투가 이미 그녀의 마음을 다 보여주고 있다고 생각하죠. 그녀가 속마음을 다 드러냈다고 여깁니다. 그래서 그녀가 시스룩이라도 입고 온 날이면 환장합니다. '야아~ 이거 볼 장 다 봤구나. 이제 완전히 나한테 넘어왔구나!'라고 말입니다.

하지만 아까도 말했듯, 정작 중요한 부분은 보이지 않는다는 것. 시스룩 패션에서 속옷은 대부분 검은색을 입습니다. 왜냐면 시스룩에서 망사, 비닐 소재의 겉옷은 가림 기능이 거의 없기 때문이죠. 속옷까지 높은 투과성을 자랑하면 패션이 아니라 범죄가 되기 때문에 사회적 통념상 속옷은 투과성 제로인 검은색을 택합니다. 그래서 절대 보이지 않습니다.

'아, 저 사람 분명 나한테 관심 있는 거 같은데…', '흠, 분명 나한테 호감이 있는데…' 다들 이런 경험 있으실 겁니다. 이런 걸 '썸' 탄다고 하더군요. 이 '썸'을 구체적으로 형상화한 게 바로 이번 작품입니다. 썸 탈 때 어떤가요? 겉모습으로 속마음을 끝없이 유추하죠. ‘영화 보고 싶은데 같이 볼 사람이 없네..’라면서 상대방 진심을 캐내기 위해 애씁니다. 안동 간고등어 간잡이처럼 계속 간을 봅니다.

그렇게 해서 서로 진심을 확인하나요? 아니죠. 고백하지 않는 한, 그 관계는 발전이 없습니다. ‘아, 뭔가 있는 거 같은데...’라고 끝없이 상상만 하다가 결국 지쳐서 시무룩해지죠. 뭐가 보일까 싶어 계속 기웃대다 결국 시무룩해지는 시스룩처럼.

혹시 지금 ‘썸’을 타고 계신가요? 상대방의 마음 그만 훔쳐보시고, 당당히 말하세요. 보일 듯 보이지 않는 마음에 그만 끙끙대시고, 용기 내어 고백하세요. “당신을 좋아합니다.”라고. 아무쪼록 시스룩 굴레에서 벗어나시길 바랍니다.

조지아

작은 게 고민이었던 김 씨
어렸을 적, 그의 부모는 말했다
우리 아들 고추 따 먹자
김 씨의 나이 서른
그는 매운 고추가 싫었다
매우면 대부분 작았으니까

그는 이민을 결심한다
머나먼 미국. 그곳은 기회의 땅.
조지아라는 미국 이름을 받은 날,
그는 웃었다
퍼스트 네임은 시바. 라스트 네임 조지아.
그는 이제 조지아
시바, 조지아!

★ 여기 가상의 인물 '김 씨'가 있습니다.

그는 어릴 적부터 유독 작았습니다. 키도 작고 발도 작고 손도 작았습니다. 그리고 '고추'도 작았습니다. 사내 아이들에게 하는 흔한 장난, "우리 아들 고추 좀 따 먹자~"라고 아빠가 다가오면 덜컥 겁이 났습니다. 너무 작아서 금방이라도 따일 것 같은 공포를 느꼈습니다. 그렇게 거세 공포를 느끼며 김 씨는 성장했습니다. 시간이 지나며 키, 손, 발 등 모든 게 커졌지만 김 씨는 항상 주눅 든 모습이었습니다. 몸은 커졌지만 마음은 크질 못했습니다. 성인이 된 어느 날, 여자친구와 식당에 갔다가 반찬으로 생고추가 나왔는데 여자친구가 고추 하나를 쌈장에 찍어 먹고는 "아우, 뭐 이리 매워, 작은 게 드럽게 맵기만 맵네."라고 말하자 불같이 화를 냈습니다. 여자친구는 영문을 몰라 했고 그 일이 계기가 되어 헤어지게 되었습니다. 어릴 적 트라우마에 갇힌 채, 늘 주눅 들어 살며, 사랑하는 사람과도 헤어지게 된 김 씨는 결국 결심합니다. '그래, 이곳에선 더 이상 못 살겠다. 떠나자.' 기회의 땅인 미국으로 이민을 간 김 씨는 그곳에서 새로운 이름을 받습니다. 퍼스트 네임은 시바, 라스트 네임은 조지아. 새 이름을 받은 날 그는 세상을 향해 외칩니다.

"난 이제 조지아! 시바 조지아!"

그의 분노가 느껴지시나요? 그럼 이 시의 정서 전달은 성공입니다.

“씨바, 조지아(고추가 아니라 좆이야)!!!”

단어 풀이(표준국어대사전 뜻풀이 참조)
고추-어린아이의 조그맣고 귀여운 자지를 이르는 말.
좆-성인 남성의 성기를 이르는 말.

흥부와 놀부

흥부는 흥분을 잘했다
그래서 흥부네는 매일밤 흥흥흐응
놀부는 그게 늘 부러웠다
저 다리를 가질 수만 있다면…
흥부의 다리는 언제나 흥분되어 있었다
부러져도 다시 붙은 것 같았다
놀부의 다리는 늘 부정적이었다
붙여놔도 다시 부러진 것 같았다

그러던 어느 날,
둘에게 찾아온 제비 한 마리

흥부는
제비의 다리를 자기 다리처럼 만들어 주었다
놀부도
제비의 다리를 자기 다리처럼 만들어 주었다
제비는 다시 돌아갔고,
정확하게 보답했다

흥부의 다리는 흥분을 잘했고
놀부는 그게 늘 부러웠다

★ '다리'의 의미를 모르는 사람은 없겠지만, 시에 쓰인 '다리'는 세 번째 다리를 의미합니다. (세 번째 다리가 뭔지 모른다면 옆의 남성분에게 물어보기 바랍니다.) 남자가 세 번째 다리를 가진다는 건, 모든 것을 가졌다는 의미 아닐까요? 흥부는 세 번째 다리를 가진 남자였습니다. 그러니까 흥부는 다른 것이 필요 없는 남자였고, 놀부는 그의 다리가 늘 부러웠습니다. 그래서 그렇게 못되게 굴었던 거죠.

'에이, 가난해서 하루 한 끼도 제대로 못 먹는 사람이 뭔 힘이 있겠소?'라고 물으실 수도 있겠네요. '밥도 잘 못 먹으니 세 번째 다리는커녕, 두 다리로 서 있을 힘도 없을 거 같구만.'이라고 말씀하실 수도 있겠어요. 하지만 이 시는 저의 뇌피셜로 쓴 게 아니라, 철저히 '흥부전' 내용에 기반하여 썼습니다. 여기 흥부전의 일부를 인용합니다.

단단 약속하였더니 어찌 그리 무복하여 밤낮으로 벌려 해도 돈 한 푼을 못 모으고 원찮은 자식들은 세어 보니 스물다섯...

자녀가 몇 명이요? 무려 스물다섯입니다, 스물다섯! 이게 대체 가능한 숫자인가요? 인간의 한계를 뛰어넘은 그의 '남성'을 확인할 수 있죠. 놀부의 증언을 덧붙입니다.

놀보가 뒤로 물러앉으며 군소리로, "박살할 놈 그 노릇을 해도 밤이면 대고 파니 다른 일 할 틈 있어야지..."

다른 일 할 틈도 없이 밤이면 대고 팠답니다. 질투심 가득한 놀부의 증언과 스물 다섯이라는 자녀 숫자. 더 이상의 설명이 필요할까요?^^

모든 게 없었지만 '남성' 하나만은 가진 흥부와, '남성' 외의 나머지 모두를 가진 놀부. 둘 중 하나로 태어나야 한다면 누구를 택하겠습니까?

랍스타

어느 화창한 봄날
랍스타 집으로 향하는
남녀가 있었다
남자는 제일 비싼 랍스터 요리를 주문했고
여자는 립스틱을 꺼내 입술에 발랐다

여자는 랍스터를 먹으며 연신
남자의 코를 닦아주었다
코가 나오지 않는데도,
남자의 코를 계속 닦아주었다
그리곤 그 두꺼운 갑각류의 등껍질을
마치 과자 먹듯 먹었다
남자가 사주는 랍스터를 조금이라도 남길까 봐.

5월 4일 토요일 한적한 오후
5월 8일은 평일이라서 주말에 온 남자와 함께,
고작 10만 원밖에 안 되는 바닷가재 두 마리를,

엄마는 57년 만에 처음으로 먹었다.

★ 1. 여러분은 '고급 요리'하면 뭐가 떠오르시나요? 저는 랍스타입니다. (표준어는 로브스터.) 물론 그보다 더 값비싼 요리는 세상에 많지만, 저의 세계관 안에선 '랍스타'입니다. 아마도 유년 시절 뇌에서 '미각'과 '사치'라는 개념이 서로 연결망을 형성할 무렵 랍스타와 관련된 강렬한 자극이 있었겠죠. 그 자극이 정확히 기억은 안 납니다만, 어느 순간부터 저에게 랍스타는 고급 요리의 대명사가 되었습니다.

2. 처음으로 제 돈 주고 랍스타를 사 먹은 날이 기억납니다. 어버이날 즈음하여 어머니를 모시고 갔었죠. 꼴에 효도한답시고 랍스타를 먹으러 갔습니다. 제가 생각하는 고급 요리였으니까요.
"뭔 돈이 있다고 이런 데를 오냐." 어엿한 사회구성원으로서 당당히 경제활동에 참여하여 번 돈인데도 엄마 눈엔 코 묻은 돈으로 보였나 봅니다. 살 한 점 놓치지 않기 위해 그 두꺼운 갑각류의 껍질까지 씹어 드시더군요.

3. 그런데요, 사실 그 랍스타는 얼마 안 했습니다. 두 마리 합쳐서 10만 원밖에 안 했어요. 그런데도 엄마한텐 그 10만 원이 '이런 데'라고 말할 정도로 컸던 거예요. 왜냐면, 아들이 번 돈이었으니까요.

멍든 무릎, 그건 사랑이었네

신혼부부 박 씨
그의 집엔 침대가 없다
그의 무릎은 늘 멍들어 있다

사람들은 묻는다
무릎이 왜 그래요?
허허, 집에 침대가 없어서요

그의 멍이 파래질수록
그의 웃음은 환해진다

사람들은 또 묻는다
멍이 더 심해졌네요?
허허, 아내가 정말 사랑스럽네요

멍든 무릎,
무릎과 무릎 사이,
그건 사랑이었네.

★ 다음 세 가지 사항이 충족된다면, 당신은 이 시를 공감할 것입니다.

1. 결혼을 했다.
2. 집에서 자주 한다.
3. 집에 침대가 없다.

혹시 '뭘 자주 해요?'라고 물어본다면, 당신은 셋 중 하나입니다.

1. 모태솔로.
2. 여태솔로.
3. 겉과 속이 다른 사람.

진검 승부

그가,
날 본다

나는 조용히 한 걸음 뒤로 물러났다

그가,
또 본다
한걸음 물러난 나를 보았다

그는 조용히 한 걸음 앞으로 다가섰다

승부는 끝났다

화장실엔 진검으로 승부한 두 사내의
오줌 소리만이
줄줄줄 흐르고 있었다

★ 여성 독자들을 위해 설명을 좀 해야겠네요. 이번 시는 남자 화장실에서 벌어지는 수컷들의 서열정리를 형상화한 작품입니다.

남자 화장실엔 소변용 변기가 한쪽 벽에 일렬로 세워져 있습니다. 남자들은 그 변기 앞에서 신체 일부만 꺼낸 후 소변을 보죠. 좌변기가 있는 공간은 사방을 칸막이로 둘러싸서 프라이버시를 보호하지만 소변기는 그런 게 없습니다. 옆으로 고개를 살짝만, 아니 눈만 살짝 돌려도 다 보입니다. 뭐가요? 아까 말했잖아요. 남자들은 소변기 앞에서 신체 일부를 꺼낸다구요.

낯선 남자의 신체 일부가 훤히 다 보이는 곳. 이러한 공간적 특성이 수컷들의 본능을 자극합니다. 바로 서열정리에 대한 본능이죠.

화장실에 가니 아무도 없습니다. 소변기 앞에서 오줌을 눕니다. 갑자기 낯선 사내가 들어옵니다. 옆에서서 오줌을 눕니다. 잠시 후 사내의 시선이 느껴집니다. 사내가 더 잘 볼 수 있게 나는 한 발 뒤로 물러납니다. '헉.' 사내는 놀란 마음을 속으로 삼키며 변기에 한 걸음 다가섭니다. 변기에 바짝 붙습니다. 서열 정리가 끝납니다.

물론 작품 속 상황은 약간의 과장이 있습니다. 현실에서 누가 본다고 뒤로 한 걸음 물러나는 경우는 드물죠. 이번 작품은 문학적 유희로 그저 즐겨 주시기 바랍니다.

가을의 전설

낙엽이 떨고 있는 어느 가을밤
한 사내가 걷고 있다
걷다가 문득, 사내는 느꼈다
자신의 팬티가 내려가고 있다는 것을

소싯적 그는 말쟁이였다
온몸이 말 근육이었던 그는 특히,
엉덩이가 일품이었다
달리는 경주마처럼
그의 엉덩이는 언제나 하늘 높이 들떠 있었다
아휴, 이 엉덩이 좀 봐
사랑의 참맛을 아는 여성들은 그를 찾았고
그의 엉덩이는 늘 손길로 붐볐다

그는 팬티가 한 장이었다
고무줄이 늘어나도
고무줄이 끊어져도
그는 팬티를 사지 않았다
고무줄이 없어도 팬티는 내려가지 않았다
그의 엉덩이는 항상 성나 있었으니까

낙엽이 떨고 있는 어느 가을밤
중년 사내가 걷고 있다
사내의 팬티는 내려가고 있었다
첨엔 엉덩이에,
다음엔 그의 남성에 걸릴 거라 생각했지만,
그의 팬티는 내려갔다

떨어지는 잎처럼,
하염없이 내려갔다

★ '뽕팬티'를 아시나요? 팬티에 뽕을 넣어서 엉덩이를 도드라지게 만드는 속옷입니다. 매일 보는 사이인데 다음날 갑자기 애플힙이 되어 나타났다? 뽕팬티 착용 확률 99%입니다. 애플힙은 갖고 싶고, 운동은 하기 싫고. 뭐 어쩌겠어요, 눈속임이라도 해야지. 눈속임 속옷 하니까 떠오르는 게 있죠? 네, 여성들이 종종 사용하는 '뽕브라'죠. 그러니까 뽕팬티는 뽕브라 아랫도리 버전이라고 보면 됩니다.

그런데 뽕브라와 다른 점이 하나 있습니다. 뽕팬티는 남성용도 존재한다는 사실. 게다가 꽤나 잘 팔린다는 사실. 심지어 중년 남성 구매율이 가장 높다는 사실. '엥? 중년 남성이 뽕팬티를?'이라고 하시는 분들을 위해 두 가지 사실을 알려드리겠습니다.

첫째, '여자가 섹시함을 느끼는 남자의 신체부위?'라는 설문 조사 종종 보실 겁니다. 이런 설문 조사는 표본을 어떻게 정하냐에 따라 항상 값이 다르긴 합니다. 게다가 지극히 주관적인 영역이기에 객관화시키기도 어렵죠. 그럼에도 불구하고 항상 언급되는 신체부위가 있습니다. 심지어 항상 최상위권에 랭크되죠. 바로 엉덩이입니다. 만약 설문 대상을 '사랑의 참맛을 아는 여성'으로 한정한다면, 엉덩이는 부동의 1위입니다.

둘째, 사람은 누구나 늙습니다. 노화를 피할 수 있는 사람은 이 세상 어디에도 없죠. 나이 들수록 어떻게 되나요? 처지고 쪼그라들죠. 주변 할아버지, 할머니만 봐도 알 수 있잖아요. 땅으로 다가가듯 밑으로 축 축 처지고, 근육량이 줄어서 점점 쪼그라듭니다. 엉덩이도 마찬가지입니다. 젊은 시절, 아무리 말벅지와 말엉덩이를 자랑해도 시간과 중력의 법칙을 이겨낼 순 없습니다. 아래로 처지고 점점 납작해지죠. 바로 시에 등장하는 사내처럼요.

조지 클루니처럼 섹시하게 늙고 싶은데 섹시함의 코어인 엉덩이는 점점 처지고... 그러니 뭐 어쩌겠습니까. '뽕팬티'라도 사서 입을 수밖에요. 이제 아시겠죠. 중년 남성 뽕팬티 구매율이 높은 이유를.

혹시나 해서 또 말씀드리는데 작품 속의 사내는 제가 아닙니다. (작품에 등장하는 인물을 작가로 생각하시는 분들이 있는데 제발 그러지 마세요. 작품 속 등장인물은 어디까지나 작가가 만들어 낸 가상의 인물일 뿐입니다.) 그래도 40대가 되니 조금씩 알 거 같습니다. 세월 앞에 장사 없고, 때가 되면 조금씩 늙어 갑니다. 그 누구도 되돌릴 순 없습니다.

2, 30대 독자 여러분. 지금 잔뜩 성나 있다고 우쭐대지 마세요. 위로 한껏 치솟아있다고 으스대지 마세요. 우리 모두는 결국 '전설'이 될 수밖에 없는 존재입니다. 작품 속 사내처럼요. 떨어지는 낙엽처럼 언젠가 당신의 팬티도 흘러내릴 날이 올 겁니다. 그러니 부디 '젊음'을 아껴 쓰시기 바랍니다.

닦는다

어느 날 산책을 하다가
개가 똥싸는 것을 보았다
그 개는 몇 덩이 누더니
이내 갈 길을 갔다
닦지 않고 갔다

그러고 보니 인간만 닦는다
밥을 먹고
똥을 싸고
몸을 씻고
사랑 하고
이별 하고
닦는다

오직 인간만이
닦는다

★ (개가 똥 싸는 것을 유심히 보다가 얻어걸린 시입니다. 이렇듯 시는 우리 주변에, 일상에 널려 있습니다.)

요즘 반려견이 상당히 많죠. 산책하다 보면 주인과 함께 산책하는 개들을 상당히 많이 볼 수 있습니다. 어느덧 반려견 문화가 일상이 된 듯합니다.

그날도 동네 주변을 한 바퀴 돌고 있었는데 산책견을 만나게 되었습니다. 제가 시선을 준 순간이 마침 똥을 누던 순간이었죠. 개의 엉덩이는 저를 향하고 있었습니다. 항문이 조금씩 벌름벌름하더니 이내 풍선처럼 확 팽창하며 동시에 가래떡처럼 똥이 쑤욱 나오더군요. 우와! 다른 생명체의 똥 나오는 과정을 A부터 Z까지 지켜본 건 그때가 처음이었습니다. 개는 두 덩이를 뽑은 후 다시 자기 갈 길을 갔습니다.

'어, 잠깐만! 근데 왜 그냥 가지?' 시상이 탁 떠올랐습니다. 개는 적당한 굵기와 굳기로 똥을 싸기만 했습니다. 사람처럼 휴지로 닦거나 물총을 맞거나 바람으로 말리지 않았습니다. '아, 똥을 싼 후 오직 인간만 닦는구나.' 생각해 보니 당연한 사실이었습니다. 개뿐만이 아니라 모든 동물은 싸고 난 이후의 과정이 없습니다.

'어, 잠깐만! 똥뿐만이 아닌 거 같은데?' 시상이 확장되었습니다. 생각해 보니 오직 인간만이 자연적 행위 이후 인위적 행위가 있습니다. 밥을 먹은 후 휴지로 입을 닦고, 똥을 싼 후 화장지로 항문을 닦고, 몸을 씻은 후 수건으로 몸을 닦고, 사랑을 나눈 후 물

티슈로 사타구니를 닦고, 이별한 후 눈물로 자신의 마음을 닦습니다.

오직 인간만이.

청소 아주머니

오늘도 남자 화장실에서
청소하고 있는
청소 아주머니

한 남자가 들어온다
멈칫, 하지만 곧
안녕하세요
자연스럽게 꺼낸다
한 남자가 또 들어온다
어이구, 청소하시네
꺼내면서 지나간다
남자들이 떼를 지어 들어온다
다들 꺼낸다

그녀는 그들의 다리 사이로 대걸레를 민다
마구 민다
사정없이 민다

나도 여자야
시위라도 하듯.

★ 금녀의 공간인 화장실에 청소 아주머니와 함께 있는 상황. 남자분들은 경험 있으시죠?

지하철을 타고 약속 장소로 가던 중, 문득 요의가 느껴져서 화장실에 갔습니다. 파마머리의 여성분이 있어서 '멈칫' 했지만 곧 청소 아주머니임을 확인하고 인사를 건넸습니다. "안녕하세요." 그 후, 곧장 소변기로 가서 신체 일부를 꺼내고 오줌을 눴습니다. (전에도 말했지만 남자 소변기는 벽에 일렬로 붙어 있고 별다른 칸막이가 없어서 옆에서 보면 다 보입니다.)

곧이어 다른 남자가 들어왔는데 그는 그녀를 보고 잠깐의 '멈칫'도 없었습니다. "어이구, 청소 중이시네"라고 너스레를 떨며 소변기로 직행했습니다. 심지어 그는 저보다 더 급했는지 화장실에 들어올 때 이미 지퍼가 반쯤 내려간 상태였고, 소변기에 도착해서 신체 일부를 꺼낸 게 아니라 꺼내면서 소변기로 향했습니다.

그 시각 공교롭게도 오줌 마려운 사내들이 많았는지 사내들이 떼를 지어 들어왔습니다. 다들 너무나도 자연스럽게 소변기에 붙어서 신체 일부를 꺼냈습니다.

금녀의 공간. 다수의 사내. 모두들 꺼낸 상황. 소변을 마무리할 때쯤 되자 문득 이런 생각이 들었습니다. '이야, 이거 재밌네. 만약 일반 여성이 지금 이 공간에 있다면 난리 나겠지? 남자들도 황급히 신체 일부를 거둬들일 거고. 근데 청소 아주머니라는 직함 하나가 성벽을 무너뜨렸어. 그녀의 성 정체성도 지워버렸어. 그런데 그녀도 저 작업복을 벗고 이 공간을

나가면, 여자 아닌가?'

그 생각을 할 때쯤 그녀가 대걸레질을 하기 시작했습니다. 남자들 다리 사이로 대걸레를 마구 밀었습니다. 처벅처벅, 물기 가득한 대걸레가 들어오자 남자들은 모두 당황했습니다. "아이, 뭐예요 아줌마!" 어떤 사내는 화도 냈습니다. 그런데 그녀는 제가 서 있는 곳은 대걸레질을 하지 않았습니다. 다른 곳은 있는 힘을 다해 처벅처벅했지만 제 다리 사이로는 대걸레를 밀지 않았습니다. 왠지 그 이유를 알 거 같았습니다. 왜냐면 화장실에 들어올 때 저만,

'멈칫' 했으니까요.

좋은 게 좋은 거야

적당히 참고
적당히 게으르고
적당히 물고 빨고
적당히 못 본 척
좋은 게 좋은 거라고
적당히 적당히 하다 보니
어느새 난 좋은 개가 되어 있었다
적당히 먹이 주면 꼬리 흔들고 헤헤거리는,
좋은 개.

좋은 게 좋은 거야?
좋은 개 좋은 거야?
말해 봐 개새끼야!

★ 1. 시의 마지막 부분을 읽고 깜짝 놀라셨나요? 전에도 말했듯, 시어는 특별한 단어가 아닙니다. 우리가 쓰는 모든 말이 시어가 될 수 있죠. 욕은 원래 격한 감정을 표현하기 위해 만들어진 말입니다. 그러니 적절히 활용만 한다면 감정을 다루는 시 문학에서 아주 유용하게 쓸 수 있습니다. 너만 그렇게 생각하는 거 아니냐구요? 정양 시인이 쓴 '토막말'이란 시에 이런 구절이 있습니다. "정순아보고자퍼죽겄다씨펄." 어때요, 보고 싶은 마음이 절절히 묻어나죠? 뭐 때문에? '씨펄'이라는 단어 때문이죠. 욕도 매력적인 시어가 될 수 있습니다.

2. '좋은 게 좋은 거야.' 어릴 때 이 말을 듣는 경우는 없습니다. 성인이 되어 어느 조직의 일원이 된 후 자기 소신과 신념대로 살기 시작하면 듣게 되는 말이죠. 다양한 상황에서 다양한 의미로 사용되는 말인데 일반적인 의미는 다음과 같습니다. '따지고 보면 여러 문제가 있을 수 있지만, 큰 문제가 아니니 더 이상 파고들지 말고 적당한 선에서 타협하자.' 신념, 소신, 열정, 패기로 똘똘 뭉친 신입사원이 조직의 부조리함을 발견하여 문제 삼으려 할 때 상사가 외진 곳으로 데려가서 말하죠. "이 사람 빡빡하게 왜 그래, 응? 피곤하게 굴지 말고 그냥 적당히 넘어가. 좋은 게 좋은 거야." 조직의 관행에 따르지 않고, 자기 소신대로

살면 언젠가 반드시 듣게 되는 말입니다.

3. '소신대로 살기 VS 타협하며 살기' 뭐가 맞을까요? 어떻게 살아야 할까요? 30대 초중반까지만 해도 자기 소신대로 사는 게 맞다고 생각했습니다. 적당히 타협하며 사는 삶은 구차해 보였습니다. 혈기 왕성한 시절이었죠.

그런데 40대가 된 지금은 잘 모르겠습니다. 앞으로 점점 더 모를 거 같습니다. 인생은 선명한 흑과 백이 아니라 회색이고, 현실은 깊은 산속 옹달샘보다 시궁창에 더 가깝다는 사실을 알게 되었으니까요. 절대적으로 맞고 틀리는 게 있을까요? 절대적으로 좋고 나쁜 게 있을까요? 셰익스피어는 말했죠. '좋고 나쁜 것은 없다. 단지 생각이 그렇게 만들 뿐이다.' 어쩌면 좋은 게 정말 좋은 거라는 생각이 들기도 합니다.

답은 여러분에게 맡기겠습니다.

까라면 까

직장인 박 씨
그는 오늘도 상사 앞에 선다

까!
힘없이 벨트를 풀었다

까라!
마지못해 지퍼를 내렸다

까라이!
그는 팬티끈을 잡았다

까라이스키야!
물먹은 휴지처럼
그는 바닥에 주저앉았다

까라이스키!
상사가 지어준 러시아 이름을 들으며
오늘도 그는 퇴근을 한다

★ 까라면 까! 군대에서 유래된 말인데요, 원래 어원은 "선임이 좆으로 밤송이를 까라면 까야 한다!"입니다. 상급자가 터무니없이 어려운 일을 시켜도 하급자가 무조건 따라야 하는 상황을 묘사하는 말로서, 전형적인 상명하복의 상징적 말입니다. 군대뿐만이 아니라 수직적 계급 문화를 가지고 있는 모든 곳에서 쓰이죠.

직장 다니는 분들은 '그'의 심정에 다들 공감하시죠? 상사가 까라면 일단 까야 합니다. 상사의 명령이 내 생각과 달라도, 하기 싫어도, 일단은 명령에 복종하는 시늉을 해야죠. 힘없이 벨트를 풀고, 마지 못해 지퍼를 내립니다. 현실 세계에선 그 정도 시늉을 보여주면 그냥 넘어가는데 시에 등장하는 상사는 악독한 사람인가 봅니다. 지퍼를 내려도 만족하지 않고 급기야 '까라이스키!'(까라 이 새끼야!)라는 러시아 이름까지 지어주며 절대복종을 요구합니다. 상사의 명령에 압도당한 그는 결국 바닥에 주저앉고 말죠. 그래도 팬티 끈을 놓지 않은 건,

아마도 그의 마지막 자존심이겠지요?
세상 모든 직장인들을 응원합니다.

마초와 꼽추 사이

아이들 : 곧 휴가철인데, 어디 놀러 안 가요?
아빠 : 아빠는 철인이 아니란다.

아내 : 당신이 꽃을 준 적이 언제예요?
남편 : 이젠 꽃을 들기도 힘들다오.

털썩.
쓰러진 그를
아내와 아이들은
기어코 곧추세웠다

아이들 : 곧추서세요 아빠!
아내 : 곧추서요 여보!!

겨우 겨우 일어난 그는
결국
꼽추가 되어 있었다

★ 시의 내용은 뭐, 어렵지 않죠? 이 시대 유부남들을 위로하는 시입니다. 예전엔 근무 시간만 성실하면 되었는데 지금은 직장에서 잘리지 않기 위해 퇴근 후에도 '자기 개발'을 해야 합니다. 자녀 교육과 노후 대비를 위해 재테크도 공부해야 합니다. 휴가철엔 우리 아이들 기죽지 않기 위해 해외여행도 다녀와야 합니다. 가끔씩 아내에게 꽃 선물하며 로맨틱한 남자 소리도 들어야 합니다. '아, 몰랑 힘들어'하며 나자빠지려 하면 기어코 일으켜 세웁니다. 곧추세웁니다. 그리고 어깨 위에 다시 차곡차곡 쌓아 올립니다. 듬직한 가장, 가정적인 아빠, 로맨틱한 남편... 언제까지? 꼽추가 될 때까지. ('뭔 소리야 유부녀가 훨씬 힘들어! 예전엔 살림만 하면 되었지만 지금은 돈도 벌고 살림도 하고 육아도 해야 해! 물론 예전보다 남자의 참여가 많아졌지만 아직도 기울어진 운동장이야. 니가 여성의 고통을 알아?'라고 말하려 하셨죠? 저도 100% 동의합니다. 가정 내에서 여성의 헌신은 여전히 더 큽니다. 이 작품은 남녀를 비교하는 글이 아닙니다. 그럴 생각은 추호도 없습니다. 단지 옛날 가부장 시대보다 좀 더 많은 짐을 지게 된, 그러면서도 여전히 여성들에 비하면 고통이 적은 듯하여 어디 가서 말도 못 하는, 이 시대 유부남들을 위한 작은 위로일 뿐입니다.)

이 시의 매력은 '상징'과 '동일 음운 반복'입니다. '고추'가 뭘 상징하는지는 아시겠죠? 철인 같은 강인함으로 사회와 가정에서 완벽한 역할을 수행하며 항상 꼿꼿이 서 있기를 요구받는 이 시대 남성입니다. 시에 등장하는 '그'가 강요받는 남성상이죠.

가장 중요한 상징어라서 시를 읽는 내내 계속 환기될 수 있게 동일 음운을 쉼 없이 반복했습니다. '꽃을', '곧추-', '꼽추' 등은 설명 안 해도 아실 거 같으니 생략하구요. 혹시 또 찾으신 게 있나요? 없다구요? 아니요, 있습니다. 1연 1행에 '곧 휴가철인데~' 이 부분에 있죠. '곧 휴~'. 표준어는 아니지만 고추를 '곧휴'라고 표현하기도 합니다. (네이버에 쳐보세요.) 그러니까 '곧 휴가철인데~'는 '곧휴가 철인데' -> '고추가 철인데'로 해석되어 철인 같은 강인함을 요구받는 남자를 표현한 것입니다. 특별히 공을 들인 부분입니다.

포르노가 재미없는 이유

포르노가 재미없는 이유는
뭐가 다 빠졌기 때문이다
첫 키스의 설렘도 진도 빼기의 기쁨도
폭풍 같은 갈등도 땅이 굳는 뿌듯함도 없다

시장에서 물물교환하듯
처음부터 남자는 물건을 주고
여자는 물건을 받는다
주고받고 한다

주고받고
주고받고
주고받고
그러다 정작 정말로 줘야 할 때쯤
남자는 갑자기 주지 않는다
우장춘 박사도 아니면서
주지 않는다
그리고 말한다
수고하셨습니다
누군가 사랑은 눈물의 씨앗이라 했지만
사랑은 그냥 씨앗이다

사랑을 하고 결혼을 하고 아이를 키우는 과정은
씨앗을 뿌리고 키우는 것이다
사랑에 씨앗이 없다면 무슨 의미가 있는가

포르노엔 씨앗이 없다

★ 포르노는 너무 무거운 느낌이 드니 '야동'이라고 합시다. 야동 다들 보신 적 있죠? 어떤가요, 계속 흥미진진하고 재밌나요? 첨엔 빠져들지만 계속 보다 보면 질리죠. 왜 그럴까요?

설탕 먹는 거랑 똑같아요. 처음 설탕 한 스푼 퍼 먹으면 어때요? 그 강렬한 단맛에 빠져들죠. 하지만 두 스푼, 세 스푼 먹다 보면 어느 순간부터 질려서 못 먹죠. 왜 그럴까요? 그 단맛을 얻기까지의 모든 과정이 생략되어서 그래요. 사과 하나를 먹는다고 생각해 봅시다. 먼저 잘 익은 사과를 고릅니다. 농약을 제거하기 위해 식초물을 준비합니다. 큰 바가지에 식초와 물을 적절히 혼합한 후 사과를 30초간 담가 놓습니다. 그 후 흐르는 물에 깨끗이 씻습니다. 도마와 칼을 준비합니다. 사과를 먹기 좋은 크기로 자릅니다. 사과를 베어 물고 우적우적 씹습니다. 질긴 껍질, 아삭한 과육, 새콤한 맛과 함께 우리는 비로소 단맛을 살짝 느낍니다. 설탕은 이 모든 과정을 생략하고 단맛과 연결된 우리 뇌의 쾌락버튼을 곧장 눌러줍니다.

야동도 설탕처럼 모든 과정을 생략하고 쾌락버튼을 눌러주는 겁니다. 남녀의 사랑을 떠올려 보세요. 서로의 몸을 주고받는 당근거래('당근'이라는 중고물품 거래 사이트가 있는데 여기가 하도 유명해져서 요즘엔 중고물품거래를 그냥 '당근거래'라고 하기도 합니다.)에 도달하기까지 얼마나 많은 과정이 있습니까. 옥상에 올라가서 달 따는 시늉도 하고, 한강에 뛰어드는 시늉도 하고, 총 맞은 거처럼 가슴에 구멍이 뚫렸다고 울기도 하고... 수많은 과정 속에서 서로의 마음을 확인한 후 이윽고 몸도 확인하죠. 야동은 이걸 다 생략하고 거래 과정만 보여주는 거예요. 집요하게 쾌락버튼만 눌러대는 거죠. 그러니 질리고 지칩니다. 나중엔 쾌락버튼이 고장나죠.

그럼 고장나지 않게 가끔씩만 보면 되지 않겠냐구요? 남녀 사랑의 최종점이 당근거래라면 그래도 되겠죠. 근데 거래만 하면 끝인가요? 아니죠. 거래 이후가 진짜입니다. 시에도 썼듯 사랑은 씨앗입니다. 씨앗을 뿌리고 키우듯 아이를 낳고 키우며, 지지고 볶고 울고 웃고 즐거워하고 괴로워하고 엎치고 뒤치고...

씨를 뿌려야 사랑의 맨얼굴을 확인할 수 있습니다. 비로소 인생의 참맛을 맛보게 되죠.
야동엔 그 모든 게 없어요. 그래서 재미가 없는 겁니다.

덧 - 하나를 깨치면 열을 아는 독자님들이라서 구구절절 설명은 안 했지만, '포르노'라는 시어 때문에 이 시를 성적 쾌락에만 국한하지 않았으면 좋겠습니다. 삶의 모든 부분에 확장하여 생각해 볼 수 있죠. 쾌락 버튼 누르기의 정점이 뭘까요? 마약이죠. 쾌락만을 극대화하기 위해 만들어진 약. 쾌락 극대화가 우리 삶의 목적이라면 마약 중독자는 세상에서 제일 행복한 사람일 겁니다. 마약 중독자의 삶이 행복해 보이나요? 이 시를 통해 쾌락만을 추구하는 삶의 허무함을 표현하고 싶었습니다. 우리에게 익숙한 '야동'이라는 소재를 이용해서 말이죠.
덧2 - 이 글을 쓰고 있는데, 2023년 4분기 합계 출산율이 0.6이라는 뉴스를 접했습니다. 이 시가 대한민국 출산율 상승에 조금이나마 도움이 되었으면 좋겠습니다.
덧3 - 대한민국 모든 엄마 아빠, 파이팅!

군자지도(君子之道)

그는 군자야 이 시대의 군자지
군밤 장수 박 씨, 그를 두고 하는 말.
지나가는 할머니에게 한 줌
걸어가는 꼬마에게 한 줌
모여드는 비둘기에게 한 줌
그의 군밤통엔 언제나 군밤이 없다

그는 참으로 군자지
어느 날은 글쎄 밤을 사는데
잣도 같이 주더라고
잣같이 드세요! 이러면서.
드럼통의 불길은 항상
그의 사타구니 주변에서 날름거렸지만
그는 잣 서비스를 멈추지 않았다
군자의 길을 걸어갔다
그가 바로 군자지도!

군밤
군고구마
구운 오징어
어느 날부턴가 메뉴가 하나씩 늘어났지만

여전히 그의 돈통은 비어 있었지만
그는 굽기를 멈추지 않았다
그가 바로 군자지도!

그러던 어느 날,
군밤 껍질만 많아지던 날
껍질에 붙어 있는 부스러기를 먹기 위해
비둘기만 한없이 모여들던 날
그의 드럼통엔 작은 현수막이 걸렸다

'군자지도 팔아요.'

★ 이번 시는 특별히 연을 나눠서 설명해 보겠습니다.

1연 - 시에 등장하는 군밤 장수 박 씨는 '군자'로 불리는 사람입니다. 군자를 사전에서 찾아보면 이렇게 나옵니다. '행실이 점잖고 어질며 덕과 학식이 높은 사람.' 박 씨의 행실을 보면 그가 왜 군자로 불리는지 알 수 있습니다. 할머니에게 한 줌, 꼬마에게 한 줌, 심지어 비둘기에게도 군밤을 나눠줍니다. 비록 생계를 위해 장사를 하고 있지만 그는 이윤만을 추구하는 장사치가 아닙니다. 약자(꼬마)를 보살피고 어른(할머니)을 공경하며 살아있는 모든 것(비둘기)을 사랑하는, 한 마디로 이 시대의 군자죠. 그래서 그의 군밤통은 늘 비어 있습니다. '많이 팔아서'가 아니라, '많이 나눠줘서' 말입니다.

2연 - 이 시대의 군자로 불리는 박 씨의 미담은 계속됩니다. 이윤보다 사람을 먼저 생각하는 박 씨는 손님에게 잣을 서비스로 줍니다. "잣 같이 드세요!"라고 말하면서.(혹시나 이 시를 낭송하게 된다면 이 부분을 꼭 살려서 읽어 주세요. 말맛을 살리기 위해 공들인 부분입니다.) 사실 잣은 굉장히 비싼 견과류입니다. 밤을 사는데 서비스로 잣을 준다? 배보다 배꼽이 더 큰 상황인 거죠. 이윤만을 생각하는 장사치라면 상상할 수 없는 서비스입니다. 이런 식으로 장사하면

망하죠. 아니나 다를까, 2연에는 박 씨의 미래를 암시하는 복선이 깔려 있습니다. '드럼통의 불길은 항상 그의 사타구니 주변에서 날름거렸지만'이 바로 그 부분입니다. 자본주의라는 불길은 박 씨의 덕행을 비웃으며 그를 태우기 위해 호시탐탐 기회를 노리고 있습니다.

3연 - 아무리 군자라도 먹고는 살아야 합니다. 장사가 안 되고 먹고 살기가 힘드니 박 씨 역시 메뉴를 하나씩 늘려갑니다. 하지만 그건 망하는 지름길입니다. 메뉴 많은 맛집 보셨나요? 자영업자들은 메뉴를 하나 늘리면 그 메뉴를 선호하는 손님들이 추가된다고 생각하지만 현실은 그 반대입니다. 오히려 예전 메뉴를 좋아하던 기존의 손님들까지 안 오게 되죠. 왜 그럴까요? 메뉴가 많아질수록 전문성이 떨어진다고 생각하기 때문입니다. 즉, 그 집만의 특별함이 없다는 겁니다. 우리가 일부러 김밥천국을 찾아가지 않는 이유죠. 손님이 줄수록 사장은 메뉴를 더 늘리지만 그럴수록 손님은 더 안 옵니다. 악순환이죠. 망테크를 탄 겁니다. 군밤, 군고구마, 구운오징어… 박 씨 역시 망테크를 탔지만 꿋꿋이 장사를 이어갑니다. 지조와 절개가 있는 이 시대의 군자!

4연 - 마지막 한 방을 위해 분위기를 잡는 연입니

다. 뭔가 심상치 않은 분위기. 비둘기만 한없이 모여들던 날 결국 현수막이 걸리죠. 현수막엔 대체 무슨 내용이?

5연 - '군자지도 팔아요.' 이 시는 결국 이 한 구절을 위해 달려온 겁니다. 군자의 길을 걸어왔지만 결국 자본주의에 굴복한 박 씨. 이 구절은 두 가지 의미로 해석할 수 있습니다. 첫째, '군자지도'를 군자의 길로 해석하는 겁니다. 돈을 좇지 않고 군자의 길을 고집한 그가 결국은 자신의 신념을 포기한 겁니다. 군자지도? 군자의 길? 헷, 그딴 거 개나 줘버려! 신념 대신 돈을 택한 겁니다. 둘째, '구운 자지도 팔아요'로 해석할 수 있습니다. (시를 해석하기 위해 어쩔 수 없이 쓰는 단어이니 양해 부탁드립니다.) 2연에 깔린 복선 기억나시나요? '드럼통의 불길은 항상 그의 사타구니 주변에서 날름거렸지만'. 결국 팔다 팔다 그것까지 구워서 팔게 된 겁니다. 자신의 성적 존엄성까지 메뉴로 내놓았다는 건 돈 때문에 갈 데까지 갔다는 얘기죠. 어쨌든 첫째, 둘째 모두 돈에 굴복한 박 씨의 모습을 보여줍니다. 자신의 신념을 팔든, 자신의 것을 구워서 팔든, 결국 돈의 노예가 된 거죠.

너무 우울한 결말인가요? 현실을 직면하는 것. 그것 역시 문학의 역할입니다.

깊다

열 길 물속은 알아도
한 길 사람 속은 모르니

어찌 두렵지 않을까

네 마음속에 뛰어드는 일이.

★ 1. 열 길보다 더 깊은 물 속도 수중탐사 장비가 발달해서 요즘은 샅샅이 탐색할 수 있습니다. 근데 30cm도 안 되는 사람 마음속은? 아직도 알 수가 없습니다. 기능적 자기 공명 영상(fMRI), 자기뇌전도(MEG), 전기뇌파(EEG), 근적외선 분광법(NIRS) 등

뇌 스캔 기술이 비약적으로 발전했지만 한 사람의 마음을 완벽히 아는 것은 여전히 불가능합니다.

2. 좋아하는 사람에게 고백해보셨나요? 기분이 어땠나요? 천 길 낭떠러지가 바로 발 앞에 있는 기분 아니던가요. 당연하죠. 끝을 알 수 없는 그 사람의 마음속으로 내 몸을 던지는 거니까요. 기~냥 뛰어드는 거니까요. 그래서 사랑을 '폴 인 러브'라고 하잖아요. 아무런 안전장치 없이 '그 사람'이라는 세계로 뛰어드는 것. 사랑보다 더 짜릿한 여행은 이 세상에 없습니다.

3. 그런데 말입니다, 그렇게 뛰어들어서 발붙이고 살아가면 그 세계를 이제 아는 건가요? 다시 말해, 결혼해서 애 낳고 살 비비며 살면 한 사람의 마음을 모두 알게 되는 건가요? 아니죠. 절대 아닙니다. 문득 예전 티브이에서 본 장면 하나가 떠오르네요. 나란히 100살을 맞이한 노부부를 인터뷰하는 장면이었는데 80년을 함께 산 부부가 이렇게 말했습니다.
"아직도 이 사람 속을 모르겠어."

4. 그럼에도 불구하고 뛰어들려는 당신, 대단합니다. 응원합니다. 꼭 성공하셔서 부디 저출산 문제까지 해결해 주시기 바랍니다.

한 뼘

그대와 나
한 뼘 사이

그 한 뼘 줄이려다
난 한 뺨 맞았네

그대의 샴푸내가 허파를 부풀리고
그대의 숨소리가 귓가를 간질이고
그대의 온기가 내 심장을 달구지만
결코,
닿진 않아

닿을 듯
닿을 듯
닿지 않는
그대와 나 사이
한 뼘

★ 1. 사람과 공간의 관계를 연구하는 학문을 '근접학'이라고 합니다. 에드워드 홀이란 사람이 수립한 학문인데 사람과 사람 사이에는 적당한 거리가 존재한다는 겁니다. 공적인 거리, 사회적 거리, 사적인 거리, 친밀한 거리, 이렇게 4가지로 나뉩니다. 어디서 한 번쯤 들어본 거 같죠?

공적인 거리는 강단에 서 있는 강사와 청중 사이의 거리 정도를 말합니다. 사회적 거리는 직장 동료 사이의 거리, 사적인 거리는 친구나 가까운 지인 정도의 거리입니다. 친밀한 거리는 가장 가까운 거리인데 연인 사이의 거리가 되겠죠. 바로 시에 등장하는 한 뼘도 안 되는 거리, 자칫하다간 뺨따구 맞는 거리입니다. 혹시 지금 상대방과의 거리가 애매하세요? 한 뼘 줄이려 해보세요. 바로 답 나옵니다.

재밌는 건 그 마지막 한 뼘까지 줄인 후 서로 죽고 못 살아 샴쌍둥이처럼 달라붙어 영원한 사랑을 노래하지만 사랑의 과정을 밟을수록 조금씩 거리가 다시금 벌어진다는 겁니다. 당연합니다. 우린 자웅동체로 태어난 존재가 아니니까요. 급기야 결혼 이후엔 "맨날 남의 편만 들어줘서 남편이다"같은 씁쓸한 농담을 던지며 공적인 거리보다도 먼 존재가 되어 버리기도 합니다. (물론 다 그런 건 아닙니다만.)

누군가에게 더 다가가고 싶으세요? 이 사람 놓치면 평생 후회할 거 같다고요? 찬물 끼얹어 미안하지만 그 감정, 일시적인 겁니다. 그 사람과 열 시간만 붙어 있어 보세요. 내가 먼저 빡따구 날리고 떨어지고 싶을 걸요? 자석의 같은 극처럼 인간은 같은 인간과 계속 붙어 있을 수 없어요. 근원적으로 고독한 존재입니다. 글 처음에 언급한 에드워드 홀은 책의 또 다른 부분에서 이렇게 말했죠. "인간은 아무리 가까운 사이라도 자기만의 공간이 필요하다. 최소한의 공간이 확보되지 않으면 스트레스 때문에 엄청난 공격성을 보인다." 결국은 홀로 있어야 하는 존재. 외로우니까 사람인 겁니다.

2. 혹시 짝사랑하고 계세요? 마지막 한 뼘이 안 줄어져서 애가 타죠? 같이 밥도 먹고 영화도 보고 이제 다 줄인 거 같은데 마지막 한 뼘이 안 줄어들죠? 왜 그럴까요?

그 한 뼘이 바로 친구와 애인을 가르는 결정적 거리이기 때문입니다. 남녀가 사귀기로 한 후 가장 먼저 하는 게 뭡니까? 손잡는 거죠. 나와 너의 접촉. 우리 둘 사이의 한 뼘을 지우겠다는 겁니다.

그럼 마지막 한 뼘을 어떻게 지울까요? 안타깝지만 이 거리는 노력으로 극복되는 영역이 아닙니다. 본능이 주관하는 영역이죠. 본능, 바로 성적 매력입니다.

한 뼘을 줄인다는 건 결국 서로 접촉한다는 것이죠. 접촉을 언제 합니까? 성적 매력을 느껴서 서로 끌릴 때죠. 우리는 성적 매력이 없는 타인과 결코 접촉하지 않습니다.

혹시 다가가려는 이성에게 '오빤 참 좋은 사람이에요.', '넌 내가 아끼는 동생이야.' 이런 소리 듣고 있나요? 만약 그렇다면 얼른 포기하세요. 당신에게 성적 매력을 못 느낀다는 말을 빙빙 돌려서 표현하는 겁니다. 한마디로 '너랑 ○○를 하고 싶지 않다.'입니다. (○○이 뭘까요? 포옹? 키스? 아니면... 독자의 상상에 맡깁니다.)

그럼 성적 매력을 높이면 되지 않냐구요? 그 매력은 유전자가 90% 이상을 담당하기에 결코 쉽지 않습니다. 정말 뼈를 깎고 살을 태우는 노력을 해야 합니다. 또한 피똥 싸며 매력을 끌어올린들 그 사람의 입맛에 맞지 않으면 말짱 꽝입니다. 저 같으면 포기하고 그냥 다른 사람 찾겠습니다.

넌 어떻게 그렇게 잘 아냐구요? 이 시가 바로 제가 청년 시절 짝사랑할 때 쓴 시거든요. 잡힐 듯 잡힐 듯 잡히지 않는 마지막 한 뼘의 거리 때문에 꽤 긴 시간 가슴앓이했었죠. 영화도 보고 유람선도 타고 할 거 다 했는데 결국 손은 못 잡았죠. "오빠가 참 좋은데 남자로는 안 느껴져요."가 무슨 말인지 그때는 몰랐습니다. 오히려 남자답게 보이기 위해 엉뚱한 것들을 고민했습니다. 침을 뱉어볼까, 담배를 피워볼까, 가슴에 털을 붙여볼까 등등. 그저 좀 더 노력하면 될

줄 알았죠. 오랜 시간이 흐른 후에야, 비로소 깨달았습니다. '아, 그 사람은 나에게 성적 매력을 못 느꼈구나.'

3. 짝사랑으로 힘들어하는 모든 분들께 이 시를 바칩니다. 시원하게 뺨 한 대 맞으시고, 얼른 다른 사람 찾으시길.

개줄

개줄에 묶여있는 개를 보고
불쌍하다고 생각하다가,
문득
난 다를 게 뭔가 한다
아들이라는
남편이라는
아빠라는
친구라는
교사라는 이름의
줄에 언제나 묶여 있었다

착한 아들
다정한 남편
멋진 아빠
좋은 친구
참교사

그 줄은
매번 이름을 바꾸지만
결국 정해진 방향으로
나를 몰고 갔다

가끔씩 줄을 끊으려 하면
사람들은 말했다
우리 아들 착하지?
우리 남편은 참 다정해
우리 아빠가 세상에서 제일 멋져
친구 아이가
선생님, 아이들을 생각하셔야죠
사람들의 말은
줄로 변하여
나를 옥죄었다

개줄에 묶여 있는 개를 보다
개와 눈이 마주쳤다
개는 눈으로 말했다
너도... 그렇지?

우리는 서로에게
보이지 않는 개줄이다

★ 1. 어릴 적부터 절 묶고 있는 줄이 있었습니다. '엄마 생각하면 그러면 안 돼.' 그 말은 보이지 않는 고삐가 되어 망아지 같던 저를 항상 붙잡았습니다. 앞에서 언급했듯 아버지는 술과 폭력을 일삼았고 본인의 욕구 충족만이 중요한 사람이었기에 어머니는 저만 바라보고 사셨죠. 덕분에 고등학교 때 야자 한 번 안 째고, 대학 때도 지각 한 번 안 할 정도로 모범적 삶을 살았지만, 늘 마음 한편엔 굶주린 이리 한 마리가 으르렁거리고 있었습니다.

2. '나'는 누구일까요? 어떤 이는 나를 아들로 부르고, 다른 이는 나를 남편으로 부르고, 또 다른 이는 나를 아빠라고 부릅니다. 가끔 친구, 선생님이라고 부르기도 합니다. '나'를 부르는 말들은 관계에 따라, 환경에 따라 달라집니다.

저 말들은 우리가 누구인지를 부분적으로 알려 주지만 그 대가로 우리의 자유도 뺏어갑니다. 왜냐면 각각의 말에는 지칭 대상이 어떠해야 한다는 기댓값도 포함되어 있거든요. 자고로 아들이라면 이래야지, 남편이라면 저래야지, 아빠라면 요래야지 등등. 그 기댓값은 보이지 않는 줄이 되어 내 마음속 이리를 묶습니다. 자유를 잃은 이리는 발버둥 치지만, 그럴수록 줄은 이리의 살갗을 파고듭니다. 파인 살갗에서 피가 납니다. 이리가 몸부림칠수록 피가 더 납니다. 피가 싫었던 이리는 결국 순한 양이 됩니다.

3. 그런데 말입니다. 이리를 묶고 있는 그 줄을 잘라버리면, 그래서 이리가 맘껏 자유를 탐닉하고 광야를 날뛰도록 방생한다면 과연 행복할까요? 잘 모르겠습니다. 왜냐면,

인간은 사회적 동물이잖아요. 사회 구조 안에서 서로 관계를 맺으며 살아가는 존재잖아요. 그리고 결국 그 관계 속에서 정의되는 존재잖아요. 아들, 남편, 아빠, 친구... 모두 관계 아닙니까. 우리는 서로를 구속하고 억압하지만 또한 존재하게도 하는 거죠.

그런데 줄을 자른다? 즉, 모든 관계를 다 끊는다? 관계가 있어야 정의되는 존재인데, 관계가 없다면? 그 존재를 대체 어떻게 정의해야 할까요? 그때의 '나'는 대체 누구일까요?

듀스가 부릅니다. 난 누군가, 또 여긴 어딘가.

눈사람

처음엔 없었다
기막힌 우연에 의해
뭉쳐졌고
하나의 형태가 되었다

한동안 존재했다
마치 원래 있던 것처럼
앞으로도 있을 것처럼

하지만
봄이 오고 꽃이 피자
넌 사라졌다
마치 원래 없었던 것처럼

★ 1. (30대에 쓴 시작 노트)

나이를 먹고 장례식을 한 번, 두 번 치르다 보면 누구나 생각한다. 죽음이란 뭘까? 산다는 건 뭘까? 한 가지 분명한 건 우리는 언젠가 죽는다는 것이다.

작년 겨울 삼촌이 돌아가셨다. 결혼식 때 아버지 자리에 앉아주셨던 분이라 전의 죽음들과는 느낌이 달랐다. 처음으로 장례 절차 전 과정을 지켜보며 죽음에 대해 진지하게 생각하게 되었다.

상을 치르면서도 우리는 때가 되면 먹었고 때가 되면 잤다. 가끔 슬픔이 북받쳤지만 식사 시간이 되면 어김없이 밥을 먹었다. 그리고 화장실에 가고 잠을 잤다. 일상을 얘기하고 우리의 미래를 얘기했다. 그러다 적당한 때가 되면 오열하였다. 욕구와 욕구 사이에, 쉼표처럼 눈물을 찍었다.

삼일장을 마친 후 우리는 일상으로 돌아갔다. 삶의 과업을 해결하며 쳇바퀴에 올라탔다. 삼촌을 찾는 이는 없었다. 분명 3일 전엔 존재했는데, 3일 후엔 사라졌다. 마치 원래 없던 사람처럼. 그런데 그걸 이상하게 생각하는 사람이 없었다. 산 자들은 너무나 자연스럽게 살아갔고 세상은 잘도 돌아갔다. 문득 궁금해졌다.

우리는 대체 어떤 존재인가?

과학책을 좀 읽어본 사람은 알 것이다. 세상 모든 것의 가장 작은 단위는 원자이고, 우리도 결국 수많은 원자로 이루어졌다는 것을. 원자를 더 나누면 원자핵과 전자. 원자핵을 더 나누면 양성자, 중성자. 양성자를 더 나누면 쿼크, 글루온. 쿼크를 더 나누면... 음, 여기까지 하자. (가장 작은 단위가 원자라는 말에 발끈할 과학도들을 위해 사족을 좀 붙였다.)

그러니까 저기 지나가는 저 개도, 저기 날아가는 저 새도, 여기 자라나는 풀잎도, 내 발에 차이는 돌멩이도, 그리고 그것들을 보고 있는 나도 결국 원재료는 같다는 것이다. 그 재료들이 어떻게 조합되느냐에 따라 개도 되고, 새도 되고, 풀잎도 되고, 사람도 된다.

그럼 그 재료들이 한번 뭉치면 영원히 존재하는가? 아니다. 모두 어느 정도 기간이 지난 후 다시 흩어진다. 풀잎은 시들어 부스러지고, 돌멩이는 닳아 없어지며, 개나 사람은 죽어서 부패한다. 그리고 또 어느 때인가, 기막힌 우연에 의해 다시 뭉쳐진다. 개나 새나 사람의 모양으로.

지금의 '나'는 잠시 모여 있는 상태일 뿐. 언젠가 다시 흩어진다. 마치 눈사람처럼.

2. 라고 30대엔 생각했습니다. 위에 쓴 글의 세계관 보이시나요? 네, 전형적인 유물론적 세계관이죠. 사람도 결국 개, 돌멩이와 똑같은 물질로 이뤄져 있다는 생각. 진리를 찾기 위해 한창 과학에 빠져 있던 시기여서 유물론적 세계관과 만날 수밖에 없었죠. 인

간이란 어떤 존재인가를 고민했고, 유물론적 세계관으로 바라본 결과, 눈사람처럼 잠시 모였다가 이내 사라지는 존재라고 생각했습니다.

'어, 너 지금 40대잖아?'라고 물으시겠네요. 네, 40대입니다. '그럼 30대 때 가졌던 저 생각이 바뀌었니?'라고 물으시겠죠. 네, 바뀌었습니다. 더이상 유물론만으로 세상을 바라보진 않습니다. '우리는 대체 어떤 존재야? 산다는 건 뭐야? 죽음은 뭐야? 죽은 이후엔 어떻게 되는 거야? 우리는 어디에서 와서 어디로 가는 거야?'라고 이제 물어보실 건가요? 그러지 마세요. 제가 알 리가 없잖아요. 왜냐면,

죽어보질 않았으니까요.

유명한 철학자도, 똑똑한 과학자도, 어딘가에 숨어 있는 지혜로운 자도 죽어보진 않았습니다. 죽음을 경험한 사람은 인류 역사상 없었고 지금도 없고 앞으로도 없을 겁니다. 왜 수많은 경전들이 그토록 '지금 이 순간'을 말하는지 40대가 되니 알겠습니다. 우리가 인식하고 경험하고 확인할 수 있는 시간은 살아있는 '지금 이 순간'뿐입니다.

그럼 '지금 이 순간'을 어떻게 살아야 하냐구요? 거참, 집요하시네요. 저는 그 질문에 대답할 역량이 안되니, 아래 시로 대답을 대신하겠습니다. 사실 자연으

로 돌아가고픈 마음은 아직 없는데, 시의 마지막 부분이 자꾸 제 가슴을 두드립니다. 여러분은 어떠신가요?

남으로 창을 내겠소
밭이 한참 갈이
괭이로 파고
호미론 풀을 매지요

구름이 꼬인다 갈 리 있소
새 노래를 공으로 들으랴오.
강냉이가 익걸랑
함께 와 자셔도 좋소.

왜 사냐 건
웃지요.

-김상용 시인의 '남으로 창을 내겠소'

4부

성기가 계연에게

그대 잘 사는가?
'편히 사시오.'라는
그 말을 박아놓고,
그대는 편히 사는가?

그대 잘 사는가?
우리 젊음도 엿가락처럼 늘어진 오늘
문득 그대가 생각나네
내 허벅지가 역마처럼 단단하던 날들
그대가 내 이름을 힘차게 불러주길 바라던 날들
그대는 잘 지냈는가

한때 당신을 계년으로 부르기도 하고
사마귀를 잡으러 들판을 헤매기도 하고
체란 체는 다 꺼내서 구멍 내기도 했지만
세상을 유랑하며 엿 팔고 다닌 지도 20년
이제는 그대를 한번 보기라도 했으면

그대 잘 지내는가?
팔도유랑 돌고 돌아 우연히 그대를 보게 된다면
운명처럼 돌고 돌아 또다시 그대를 만난다면

꼭 이 말을 하고 싶소

이모,
엿 드시오

★ (이 시는 김동리의 '역마'에서 모티프를 가져온 작품입니다.) 결혼까지 생각한 여자가 하루아침에 이별을 고하고 떠난다면, 남겨진 남자의 기분은 어떨까요? 더욱이 놀리는 것도 아니고 '편히 사시오'라는 말을 남기고 떠난다면? 그것도 세 번이나 반복하고 떠난다면? 아마 기가 차고 가슴이 콱 막혀서 아무 말도 못하겠죠.

세월이 흘러 다시 그녀를 만난다면, 어떤 말을 하고 싶을까요? 아무런 준비도 못한 채 심장이 찢겨 나간 듯한 아픔을 오롯이 견딘 자신의 가슴을, 긴 시간 동안 가슴앓이하며 지낸 자신의 세월을, 긴 세월 아픔으로 점철된 자신의 젊음을, 눈물로 지새우던 가슴 속 한을, 한마디로 표현하고 싶지 않을까요?

'엿 드시오'라고.
'편히 드시오'라고.

조(鳥)뺑이

저녁노을 물들이며
새 한 쌍이 노닐고 있다
암컷은 도망가고 수컷은 쫓고
마치 나 잡아봐라 하듯 정답게 노닌다
그 모습을 본 유리몸을 가진 사내는
암수 서로 정답구나 하고
부러워한다

허나 그들은,
벌써 해가 지고 있어.
오늘 식량을 구해야 하는데..
둥지에 있는 새끼들이 종일 못 먹었을 텐데...
하루 종일 날개 쳤더니 찢어질 거 같아, 어서 쉬고
싶은데.....

하루가 저물어 가는 이때
여기
조(鳥)뺑이 한 쌍 있다

★ 1. '우리 행복해요'라고 남들에게 말하지만, 그 행복을 보여주기 위해 심하게 고생하는(은어로 '조뺑이 친다'라고 함) 현대사회 맞벌이 부부를 우의적으로 풍자한 시.
2. 새 '조'(鳥)와 '조뺑이'라는 은어를 합성하여 시어의 한계를 극복하고 시적 의미를 확장시킴.

사당역(死堂驛)
-죽을 사, 집 당, 역 역

자리에 앉았다
나 이외에 둘 뿐이었는데
곧 사람들이 타기 시작했다
나는 같은 자리에 계속 앉아 있었다

사람들은 내 옆에 앉기도 하고
내 앞에 서기도 했다
가끔 내 앞을 스쳐 지나가는 사람도 있었다
모두 때가 되면 자리를 옮겼고
내 옆엔 새로운 사람이 앉았다
앞에도 새로운 사람이 섰다

어느 순간부터
옆자리에 같은 사람이 계속 앉아 있었다
그 사람은 나보다 멀리 가는지
아예 눈을 감고 팔짱을 낀 채 자고 있었다
그와 함께 한참을 갔다

이윽고 나는 자리에서 일어났다
사당역이었다

★ 흔히 인생을 여행에 비유하죠. 요람역에서 출발하여 사당역(무덤)에 도착하는 기차여행. 그런 관점에서 인생을 한 번 바라보았습니다.

우리는 살면서 무수한 관계를 맺습니다. 사람과 사람이 맺는 관계. 인연이라고 하죠. 부모님과의 인연을 시작으로 가족, 친구, 연인, 동료 등 다양한 인연이 생겨납니다.

'인연'이라는 이름은 같지만, 각각의 깊이는 다 다릅니다. 어떤 이와는 에스프레소 투 샷처럼 진한 관계를 맺지만, 어떤 이와는 거품처럼 얕은 관계를 맺습니다. 바람처럼 스쳐 가는 이가 있는가 하면, 거머리처럼 들러붙는 이도 있습니다. 그래서 인생 기차여행의 동행자는 조금씩 계속 바뀌죠.

혹시 '내 주변 사람은 항상 그대로인데.'라고 생각하고 계시나요? 시간을 10년만 되돌려보세요. 분명 그 사이에 사라진 인연이 있을 겁니다. '아, 맞다. 이런 사람이 있었지. 지금 어디에서 무얼 할까?'라며 떠오르는 인물. 분명 있죠? 회자정리(會者定離). 만나면 반드시 헤어지기 마련이죠.

물론 10년간 이어진 인연도 있을 겁니다. 20년, 30년간 계속된 인연도 있을 겁니다. 아마 부모나 자식, 또는 배우자가 되겠죠. 내가 태어난 순간부터 함께 한 부모, 내가 죽을 때까지 함께 할 자식, 그리고 검은 머리 파뿌리까지 함께 하자는 배우자. 그들과의 인연이 가장 길게 이어지겠죠. (중간에 별일 없다면 말입니다.)

길지만, 영원하진 않습니다. 우리의 여행은 종착지가 있으니까요. 생자필멸(生者必滅). 태어난 것은 반드시 죽게 마련이죠. 그 누구도 사당역(死堂驛)을 지나칠 수 없습니다. 그리고 사당역에 내리는 순간, 함께했던 모든 인연도 사라집니다.

있을 때 잘합시다.

호모 사피엔스

여기
호모 사피엔스 한 마리 있다

동물로 태어나서
동물이 아닌 척 깝죽대다
다시 동물로 돌아간 그

밥 달라고 울고
똥 쌌다고 울고
졸리다고 울던 그는
어느 순간부터
혓바닥이 길어지며
말하고 읽고 쓰기 시작했다

자유니 평등이니 인권이니 인간다움을 추구하던 그는
뇌를 스캔하고 몸을 얼리고 유전자를 조작하던 그는
어느 날 밥 먹다 말고
'내 열쇠가 어딨지?' 한참을 찾다가
냉장고에서 열쇠를 찾고 우두커니 서 있다가
두 시간 후 냉장고를 또 열고는
다시

밥 달라고 울고
똥 쌌다고 운다

여기
호모 사피엔스 한 마리 있다

★ 1. 외할머니가 치매 환자입니다. 나이 들수록 다시 아기가 된다는 말, 할머니를 보면 항상 생각나는 말입니다. 할머니는 혼자서 할 수 있는 게 아무것도 없습니다. 밥도 먹여줘야 하고 똥도 닦아줘야 합니다. 기저귀를 차고 있고 혼자 움직이지도 못합니다. 말씀도 못 하셔서 "어..어버버.." 하고 옹알이를 합니다. 정말 아기와 똑같습니다. 다른 점이 있다면, 주름살뿐이겠네요.

첨부터 그랬을까요? 아니요. 팔순 넘어서도 할머니는 정정하셨습니다. 혼자서 모든 살림을 다 하셨습니다. 명절 때 가면 차비도 십만 원씩 꼬박꼬박 챙겨주셨습니다. "니미럴, 그 년이 쥐길 년이여"라며 며느리 욕도 시원하게 갈기셨습니다. 그러다 어느 날부턴가 열쇠를 못 찾고 사람들을 못 알아보셨습니다. 저를 가리키며 "저 청년은 인물이 좋네"라고 하셨습니다. 태어난 후 습득했던 능력들을 다시 하나씩 잃어갔습니다. 혼자서 못 걷고, 밥도 흘리고, 똥도 지렸습니다. 그렇게 다시 아기가 되어갔습니다.

2. 인간을 만물의 영장이라고 하죠. 말하고 쓰고 읽으며 생각하는 존재는 인간뿐입니다. 자유, 평등, 인권 등 관념적 세계를 자유자재로 넘나드는 존재 역시 인간뿐이죠. 날로 발전해가는 로봇과 인공지능을 보면 정말 인간이 조물주라도 된 듯싶습니다. 뇌 스캔,

냉동인간, 유전자 조작 등 빠르게 발전해가는 과학기술을 보면 불멸의 꿈도 머지않아 보입니다.

하지만 미래는 미래일 뿐. 우리는 여전히 자연법칙에 종속된 존재입니다. 한 사람이 일생 동안 '신'이라도 된 양 만물의 영장으로 군림하는 시간은 고작 몇십 년뿐입니다. 세월 앞에 장사 없습니다. 때가 되면 저희 할머니처럼 다시 아기로 돌아갑니다. 물론 다 그런 건 아닙니다. 늙어서도 건강한 분들이 있죠. 허나 그분들도 결코 피할 수 없는 쳇바퀴가 있습니다. 바로 밥과 똥입니다. 밥을 먹어야 살고, 똥을 싸야 삽니다. 죽기 전까지 밥을 먹어야 하고 똥을 싸야 합니다. 아무리 잘나도 밥과 똥의 굴레를 벗어나서 살 순 없습니다. '죽음의 부정'으로 퓰리처 상을 수상한 '어니스트 베커'는 이러한 인간의 근원적 속박을 한 문장으로 표현했습니다. "인간은 항문을 가진 신이다." 캬아, 정말 촌철살인 아닙니까?

3. 백범 김구 선생님은 '나의 소원'에서 우리나라의 독립을 원한다고 세 번이나 말씀하셨죠. 저 역시 누군가 "너의 소원이 무엇이냐?"라고 묻는다면 "독립!"이라고 말할 겁니다. 그런데 저는 김구 선생님보다 그릇이 작기 때문에 우리나라까지는 아니고 그냥 저의 독립을 원합니다. 죽을 때까지 독립적으로 살고 싶습니다. 죽기 전까지 내 힘으로 밥 먹고 똥 싸며

살고 싶습니다. 누군가에게 의지하지 않고 오롯이 독립적으로 먹고 싸다 가고 싶습니다.

4. 인간이 뭐 대단한 거 같죠? 대단하지 않습니다. 만들어진 대로 살다가 때가 되면 사라지는 피조물일 뿐이에요. 인생이 뭐 별거 있는 거 같죠? 인생 뭐 없어요. 먹고 살려고 애쓴 오늘 하루, 그 하루들이 지층처럼 쌓인 게 인생입니다. 그러니,

우리 모두 잘 먹고 잘 쌉시다. 죽기 전 그날까지!

똥구녕

자려고 누웠는데
남편이 부탁했다
가려워 좀 긁어줘

등을 긁어줬다
가려워 박박 긁어줘
발을 긁어줬다
가려워 미치겠네 좀 잘 긁어봐
겨드랑이를 긁어줬다
그렇게밖에 못 해? 아우 내가 말을 말아야지
그는 돌아누웠다

한참을 고민하다
큰맘 먹고
똥구녕을 살짝 긁어줬다

비로소 그가 웃었다

★ 1. 소와 사자의 사랑 이야기

다들 아시죠? 잠깐 인용할게요.

'소와 사자가 있었습니다. 둘은 죽도록 사랑해서 결혼까지 했습니다. 둘은 최선을 다하기로 약속합니다. 소는 최선을 다해서 맛있는 풀을 날마다 사자에게 대접했습니다. 사자는 풀이 싫었지만 참았습니다. 사자도 최선을 다해서 맛있는 살코기를 소에게 대접했습니다. 소는 고기가 역겨웠지만 참았습니다. 하지만 참을성은 한계가 있습니다. 둘은 마주 앉아 이야기했습니다. 이야기가 안 통해서 다투었습니다. 다투다 결국 헤어지고 말았습니다. 헤어지며 서로에게 한 말은 "나는 최선을 다했다"였습니다.'

헤어지기 전에, "네가 진짜로 원하는 게 뭐야?"라고 한 번만 물어봤다면 어땠을까요?

2. 진짜로 원하는 것은 사실 말하기 어렵습니다. 이것을 이해하기 위해선 먼저 우리 마음이 어떻게 생겨먹었는지를 알아야 합니다. 프로이트 아시죠? 그는 인간의 마음을 이드, 자아, 초자아 이렇게 세 부분으로 나눴습니다. 간단히 말하면 이드는 쾌락원칙에 따라 오직 본능적 욕구만을 추구하는 부분이고, 자아는 욕구에 미쳐 날뛰는 이드를 현실원칙에 맞게 달래는 부분, 초자아는 인간이 지향해야 할 도덕적 · 윤리적 기준을 제시하는 부분입니다. 예를 들어, 배가 고플

때 이드는 "배고파 죽겠어, 앞에 보이는 음식을 빨리 집어먹자"라고 말하고, 초자아는 "주인을 모르는 음식에 함부로 손을 대면 안 돼"라고 말하며, 자아는 "배가 고프지만 그렇다고 주인도 모르는 음식을 몰래 먹을 수는 없으니 빨리 집에 가서 밥을 먹자"라고 말하는 겁니다.

이제 아셨죠? 우리가 진짜로 원하는 것을 쉽게 말하지 못하는 이유를. 저 깊숙한 이드에서 꿈틀거리는 진짜 욕구는 날 것 그대로 나오지 못합니다. 자아와 초자아에 의해 잘리고 깎이고 바뀐 후 세상에 나옵니다. 한마디로 검열 당하는 거죠. 왜냐구요? 그래야 현실 세계에서 살아갈 수 있으니까요. 욕구는 알몸 그대로 나올 수가 없습니다. 그래서 늘 불만이죠. 네, 우리는 모두 욕구불만으로 살아갑니다.

3. 생텍쥐페리가 쓴 '어린 왕자'에 이런 말이 있죠. "이 세상에서 가장 어려운 일은 사람의 마음을 얻는 일이다." 소싯적 이성의 마음을 얻기 위해 구애 좀 해본 분들은 아마 공감하실 겁니다. 비단 이성의 마음뿐만 아니라, 내가 원하는 이의 마음을 얻는 건 정말 어렵죠. 유비가 왜 첩첩산중 제갈공명의 집에 세 번이나 찾아갔겠습니까.

누군가의 마음을 얻고 싶으세요? 어렵긴 하지만, 방법이 없는 건 아닙니다. 마음을 한 방에 얻을 수 있

는 비법이 있긴 합니다. 뭐냐구요? 이건 일급비밀인데... 여러분에게만 특별히 알려드릴게요. 그건 바로,

시적 화자처럼 똥구녕을 긁어주세요!!

설마 문자 그대로 지금 누군가의 똥구녕을 긁으시려는 거 아니죠? (이래 봬도 시입니다. 함축적 의미를 담고 있다구요.) 똥구녕은 그 사람이 진짜 원하는 것을 상징합니다. 긁어주는 건 원하는 것을 해 주는 거죠. 그러니까 똥구녕을 긁어주는 건 그 사람이 진짜 원하는 것을 들어주는 겁니다. 그랬더니 어떻습니까? 등, 발, 겨드랑이를 긁어줄 땐 짜증만 내더니, 똥구녕을 긁어주니까 비로소 그가 웃었잖아요. 그의 마음을 얻은 겁니다. 진짜 가려운 곳을 긁어주면, 진짜 원하는 것을 해주면, 그 사람의 마음을 얻을 수 있습니다.

마음을 얻었다면 그걸로 끝일까요? 아니요. 그 마음을 유지하기 위해 계속 노력해야 합니다. 똥구녕이 한 번만 가렵나요? 아니죠. 자주 가렵잖아요. 그러니 한 번만 긁으면 안 됩니다. 늘 푸른 소나무처럼 꾸준히 긁어줘야 합니다. 즉, 상대방의 욕구를 상대방이 원하는 방식으로 꾸준히 충족시켜 줘야 합니다. 그래야만 그 마음이 유지가 됩니다.

상남자

어떤 아저씨가 길가에서 오줌을 누고 있었다
인적이 드물었지만 분명 내가 걸어가고 있었고 그는
날 봤다
너무나 당당하게 싸는 그.
상남자 아이가!

내가 걸어갈수록 우리는 가까워졌다
서로의 얼굴을 알아볼 수 있을 거리에도
그는 당당히 싸고 있었다
상남자 아이가!

아니었다
그는 여전히 싸고 있었지만
내가 갈수록 그는 힘을 잃어갔다
콸콸에서 줄줄로 다시 졸졸로
하염없이 약해졌다
물건을 알아볼 수 있는 거리가 되었을 때
그는 이제 흘리고 있었다
눈물인지 오줌인지 모를 것을…

그는 상남자가 아니었다
척남자였다

★ (이 시는 실제 경험을 바탕으로 썼습니다.)
어느 날 길을 가고 있는데 저 멀리서 어떤 아저씨가 노상 방뇨를 하고 있더군요. 서로가 보일 만한 거리여서 제가 그쪽으로 걸어가고 있다는 걸 알았을 텐데 아저씨는 멈추지 않았습니다. 보통 노상 방뇨를 하다가 누가 보면 황급히 뒤돌거나 얼른 끊고 도망가잖아요. 아저씨는 저를 향하고 있었는데 거리가 좁혀져도 미동도 없었습니다. 타인의 시선에도 아랑곳하지 않는 그를 보며 생각했죠. '와, 진짜 상남자네.' 이어진 생각, '대체 얼마나 대단하길래 저렇게 당당한 거지?' 저는 호기심에 걸음을 빨리했습니다. 우리 둘 사이의 거리는 급속도로 가까워졌죠. 얼굴을 알아볼 수 있는 거리에도 그는 당당했습니다. 더 빨리 다가갔습니다. 얼굴뿐만이 아니라, 서서히 그의 하체도 보이기 시작했습니다.

그때부터였습니다. 그가 위축되기 시작한 건. 그는 여전히 방뇨 중이었지만 오줌 줄기는 급격히 가늘어졌습니다. 심지어 나중엔 눈물처럼 똑똑 방울지더군요. '아, 그냥 센 척하시는 거였구나.' 문득 연민의 감정이 들어 저는 빠르게 그를 스쳐 지나갔습니다. 뒤돌아보지 않았습니다.

우리는 겉모습만으로 타인을 평가합니다. 그래서 타인에게 보이는 겉모습을 꾸밉니다. 세지 않아도 센 척, 하남자여도 상남자인 척, 크지 않아도 큰 척. 척척척.

하지만 그건 진짜 '나'가 아니에요. 가짜죠. 가짜는 언젠가 들통이 납니다. 시 속의 '그'처럼요.

한 번뿐인 인생, 가짜로 살기엔 너무 아깝지 않나요? 그러니 우리 그냥 생긴 대로 살아요.

자식은 엎질러진 물이다

물동이를 이고 가다가
지나가던 남자와 부딪쳤다
쨍그랑,
물동이는 깨졌고
물은 엎질러졌다

물은 제멋대로 퍼져나가기 시작했다
어머, 안돼!
여자는 땅바닥에 엎드려
물을 그러모으기 시작했다

처음엔 여자의 두 손이 더 빨랐다
물이 퍼지기 전에 여자는 더 빨리 모았다
여자가 모은 물은 하나의 모양을 이루고 있었다
별모양 같기도 했다

뭘 보고만 있어요!
여자가 남자에게 말했다
조금씩 별은 이지러지고 있었다
여자의 일갈에 남자는 놀라서 엎드렸다
같이 모았다

아직 별모양 같기도 했다

물은
모아도 모아도
흩어졌다
줄기차게 흩어졌다
아, 못 해 먹겠네
남자는 벌러덩 누워 버렸다
여자는 필사적으로 물을 모았다
모으고 모으고 또 모았다
여자의 팔이 걸레처럼 너덜거리며
더 이상 움직이지 못할 때쯤
결국,
여자도 나가떨어졌다

그러든 말든
물은 흩어졌다
흩어지고 흩어져서
결국,
이 세상에 하나뿐인 모양이 되었다

★ 인생의 목적이 뭘까요? 생물학적 관점에서 보자면, 인간도 유성생식을 하는 존재이니 결국 남녀가 만나서 자식을 만든 후 잘 키워내는 것 아닐까요? (물론 결혼 안 하신 분들은 각자의 목적이 또 있겠지요.) 아이 키우시는 분들은 알겠지만, 자식이 생기면 나에게 투자하던 모든 시간과 에너지를 자식에게 들이붓죠. 자식은 블랙홀처럼 내 모든 자원을 빨아들입니다.

내 모든 자원이 투입되는 존재니 어떻겠습니까? 당연히 내가 원하는 모습으로 키우려 하죠. 엎질러진 물처럼 제멋대로 커지려는 아이를 우리는 가만두지 않습니다. 태교 때부터 클래식을 들려주고 유아가 되면 영어유치원에 보냅니다. 초딩이 되면 벌써 학원 2, 3개를 돌립니다. 그렇게 계속 애씁니다. 내가 원하는 예쁜 별모양으로 만들고 싶어서.

하지만 자식이 어디 내 맘대로 되나요? 사춘기를 지나며 자식은 조금씩 자기 모양을 드러내죠. 기껏 만들어 놓은 별모양은 조금씩 이지러집니다. 엄마 말이 서서히 안 먹힙니다. 힘에 부친 엄마가 아빠에게 도와달라고 말하죠. 아빠도 자식 교육에 적극적으로 참여합니다. 그러든 말든 자식은 점점 더 제 갈 길을 가죠. 결국 아빠가 먼저 나가떨어지고, 팔이 걸레처럼 너덜거릴 때쯤 엄마도 나가떨어집니다. 그렇게 자식은 본래 타고난 모습으로 어느덧 성인이 됩니다.

자식은 한번 태어나면 다시 뱃속으로 집어넣을 수 없습니다. 초반엔 통제가 되지만 결국 제멋대로 삽니다. 그야말로 엎질러진 물과 같은 존재죠. 어떻게 아냐구요? 저도 그랬으니까요. 저는 착한 아들이었습니다. 엄마 말을 거역하는 법이 없었죠. 그런데 중요한 순간엔 결국 제 뜻대로 살게 되더군요. 어릴 적부터 엄마가 늘 하던 말이 있었습니다. "교회 다니는 여자만 데려오지 마라." 어떻게 되었을까요? 결국 교회 다니는 여자랑 결혼해서 잘 먹고 잘 살고 있습니다. 애도 둘이나 낳구요. (요 이야긴 기회가 되면 나중에 다른 곳에서 또 풀어보겠습니다. 워커 박의 후속작 기대해주세요^^)

그러니 부모님들, 너무 애쓰지 맙시다. 이미 엎질러진 물, 그냥 지 알아서 가게 냅두자구요. (저도 아이 키우는 부모입니다. 이 시는 결국 저에게 하는 말입니다.)